JARDINS DE FRANCE

JARDINS DE FRANCE

Marie-Françoise Valéry

Photographies de
Georges Lévêque

Chêne

PAGE 1. À Canon, Élie de Beaumont installa des vergers près de la ferme : il fit construire treize jardins clos de murs et une enfilade de six ouvertures en plein cintre pour passer de l'un à l'autre. Il appela ses vergers les « Chartreuses », en souvenir du couvent des Chartreuses situé près du Luxembourg, à Paris, qui lui fournit la plupart des arbres fruitiers : raisin, pêches, poires, pommes, amandes et figues y mûrissaient à loisir. Ces vergers sont aujourd'hui des jardins de fleurs. Chaque cellule des Chartreuses possède son thème de couleur : des dahlias à profusion, roses et rouges, des soucis, des phlox, des cosmos, des solidagos, des coreopsis et des héléniums égaient de leur palette multicolore ce qui était jadis le temple de la gourmandise.

PAGE 2. La Mormaire réunit la rigueur des tracés à la française et la liberté des plantations à l'anglaise. La symétrie et la géométrie des haies taillées s'enjolivent pourtant d'ouvertures, de formes arrondies et de lignes verticales rappelant celles des cyprès : serait-ce une réminiscence de la Renaissance italienne ? À l'intérieur des parterres, des plantes classiques utilisées en masses colorent le tableau et adoucissent la structure très maîtrisée. Et la perspective s'ouvre sur un cèdre décentré qui ajoute une dernière touche de fantaisie.

A GAUCHE. Un champ de fleurs sauvages à Dampierre comme les conçoit Johannes Matthysse, qui créa dans le parc du château un jardin naturel original et inédit ouvert au public. Le festival dure plus de sept mois. Du printemps à l'automne, les bulbes et les plantes vivaces se relaient sans défaillance. D'immenses coulées de fleurs joliment colorées animent les sous-bois, constellent les pelouses, bordent les cours d'eau. Perce-neige, crocus, narcisses, scilles, jacinthes et tulipes ouvrent le spectacle. Puis suivent les iris de Sibérie, les iris de Kaempferi, et les *Eremurus,* toujours utilisés en abondance. Les plantes vivaces sauvages entrent en scène après les azalées et les rhododendrons : primevères, digitales, ancolies, mimulus, salicaires et eupatoires colonisent le parc et s'épanouissent à l'ombre des grands arbres. Des fleurs par milliers composent un riche tapis chamarré qui s'intègre tout naturellement aux lieux. Et les pelouses deviennent prairies sauvages. Et les graminées, les marguerites, les reines-des-prés, les bleuets et les coquelicots envahissent. Les scènes champêtres se succèdent. Les fleurs naïves détrônent les fleurs prétentieuses et prolifèrent, comme livrées à elles-mêmes : instinctivement et spontanément.

© 1990 Frances Lincoln Limited
© 1990 Sté Nlle des Éditions du Chêne
pour l'édition française

Imprimé à Singapour
ISBN : 2-85108-678-2
Dépôt légal
34/08416/01

Je dédie ce livre au vicomte de Noailles, aujourd'hui décédé,
à sa famille et ses nombreux amis,
pour le soutien sans faille, l'aide, les encouragements et les précieux conseils
qu'ils m'ont toujours et généreusement prodigués.
Juin 1990. Georges Lévêque.

À la Villa Noailles, cette *Clematis armandii* festonne un banc
d'où l'on domine les collines de Grasse.

Sommaire

Préface

Longtemps nous eûmes une conception partiale des jardins à la française, aveuglés étions-nous par les œillères d'un précédent historique. Dans les années 1770, un siècle après la création de Versailles, Horace Walpole pouvait écrire : « Quand un Français entend parler du jardin d'Éden, je ne puis douter qu'il ne se le représente à l'image de celui de Versailles, avec ses haies taillées, ses berceaux de verdure et ses treillages. » Certains d'entre nous, Anglais, qui possédons une autre idée du jardin d'Éden, pensons que Versailles personnifie le style français. Nous sommes même enclins à croire que tous les jardins français créés après les années 1660, des plus nobles aux plus modestes, furent tracés à l'imitation tant de ses conventions formelles que de ses perspectives. Le « jardin à la française » devint synonyme, sinon pour nous de l'Éden que nous concevons comme la parfaite incarnation de la nature, du moins de Versailles lui-même, ainsi que des innombrables jardins « français » qui s'ouvrirent durant le XVIIIe siècle dans toutes les cours d'Europe, aussi loin qu'à Saint-Pétersbourg sur les rives de la Baltique.

Versailles offre de larges perspectives encadrées d'allées taillées avec le plus grand soin et bordées de délicieuses sculptures, panoramas qui s'étendent jusqu'à l'horizon, par-delà les escaliers et les statues, les tranquilles bassins et les canaux dans lesquels se reflètent ciel et édifices, contrastant avec la bruyante agitation des cascades étincelantes et le jaillissement des fontaines. Comme Alexandre Pope le fit remarquer, tout y est fondé sur la symétrie : « Chaque allée possède son pendant, une moitié du jardin n'est que l'image en miroir de l'autre. » À l'époque, le projet dans son ensemble était également destiné à rendre gloire à Louis XIV en personne. La suffisance sans limite du Roi-Soleil et sa volonté de rendre manifeste son pouvoir absolu résument l'image que nous nous faisons du jardin français. Car il s'agit du plus célèbre jardin au monde, la quintessence de la conception baroque du XVIIe siècle pour laquelle la géométrie du jardin Renaissance italienne, avec ses terrasses dominant des collines escarpées et ses petits enclos, intimement regroupés autour de la villa, se trouvait déployée à l'échelle de la campagne environnante, pour l'inclure et marquer la domination absolue de l'homme sur la nature, ainsi que dans ce cas particulier la fortune et la puissance de Louis XIV. Que l'on considère Versailles comme l'apogée d'un art ou comme la plus somptueuse des folies, on ne pourra manquer de reconnaître ni sa beauté, monumentale sinon froide, ni son influence. Il s'agissait, et il s'agit certainement encore, du plus important jardin à la française ayant jamais existé, même si les contemporains du roi se gaussaient des splendeurs qu'il offrait ainsi que de la folie des grandeurs de leur monarque, du fait de la pression d'eau qui, suffisamment faible pour tourner en ridicule la pompe royale, contraignait à ne faire fonctionner les fontaines que l'une après l'autre, au fur et à mesure de l'auguste promenade. Un siècle plus tard, un Horace Walpole pouvait le décrire comme « jonché de statues et de fontaines [...] le jardin d'un grand enfant ».

Nos présupposés concernant le jardin à la française s'étendent même jusqu'à l'art plus intransigeant de l'horticulture. L'homme, non content d'affirmer sa domination sur la nature par le biais d'avenues bordées d'arbres taillés, tracées au cœur des anciennes forêts, en vint à la manipuler et à maîtriser la croissance ainsi que les formes des plantes elles-mêmes. Les jardiniers de Le Nôtre s'employèrent à greffer et à contraindre sur des espaliers charmes, châtaigniers et tilleuls pour créer ces murs de verdure bien égalisés – les célèbres charmilles qui agrémentent aujourd'hui encore la plupart des jardins d'importance –, et à tailler en formes ornementales buis, ifs et lauriers, pour les assortir aux marbres luisants et à la statuaire solennelle. À Versailles, on taillait même le tendre myrte afin de l'implanter annuellement dans les parterres de buis, sans parler des agrumes disposés comme à la parade dans des vasques décoratives, qu'on émondait en sphères ou en pyramides en prévision de leur exposition estivale sur les terrasses de l'Orangerie. Depuis toujours passés maîtres dans l'art de tailler les arbres fruitiers, tant pour la décoration que pour les impératifs de production, jamais les Français ne se montrèrent avares de conseils : pendant des siècles, ce furent les albums d'horticulture français qui enseignèrent les techniques de l'espalier, du cordon, de la palmette ou des motifs en diamant les plus élaborés.

Cet ouvrage, dans lequel seront décrits et illustrés maints jardins, conçus chacun dans une pensée bien personnelle de l'Éden, a l'ambition d'ouvrir les yeux de tous ceux qui restent encore imprégnés par l'idée qu'un jardin français ne peut que copier le style Versailles. Car ces jardins paradisiaques ressemblent bien plutôt à la vision de l'Éden qu'un Jean Bruegel matérialisa dans un tableau célèbre (presque contemporain de Versailles), dont la profusion tropicale des fleurs et des fruits constitue un cadre idyllique où l'homme et les animaux réconciliés déambulent en paix, dans les clairières d'un paysage qui n'est pas sans rappeler celui d'un jardin d'agrément. Souvent, ils expriment la quête de cet idéal.

On ne manquera toutefois pas de remarquer cet accent de grandeur qui revient comme un leitmotiv. Aujourd'hui, le meilleur du jardinage à la française semble assimiler les éléments de diverses traditions. En général, bien que souvent masqué par des plantations de style dénué de formalité, chaque jardin est dessiné sur une structure générale bien définie. L'attention méticuleuse portée aux détails et l'accent mis sur la taille ornementale des arbres, fruitiers ou non, caractéristiques plutôt rares de ce côté-ci du Channel, paraissent tous deux résulter d'un esprit typiquement français. Et même dans les descriptions de jardins les plus romantiques et les plus voluptueux, où se bousculent dans une sorte d'extase du dédoublement de personnalité les plantes familières des *cottages* britanniques, on notera cette typique maîtrise française.

Sans vouloir faire œuvre d'histoire, *Les Jardins de France* nous montre l'évolution à travers les siècles du jardinage à la française, car même les plus modernes d'entre eux prouvent à l'évidence l'importance du passé, toujours influent sur leur modèle. Dans cet ouvrage, on trouvera un choix équilibré de jardins privilégiés pour leur caractère à la fois « ancien » et « moderne », où les « anciens » sont ornés de plantations modernes, alors que les « modernes » assimilent divers éléments historiques. Célébration de l'art des jardins français contemporains, les descriptions de ce livre nous amèneront à envisager l'évolution d'un style qui, sans jamais complètement abandonner l'apparat versaillais, inclut le jardin « anglo-chinois » de la fin du XVIIIe siècle, les jardins publics et les boulevards du baron Haussmann dans le Paris du XIXe siècle, avec leurs complexes plates-bandes de fleurs et de feuillus, mais aussi les plantations isolées, plus « naturelles », adaptées aux divers climats régionaux. De nos jours, certains jardiniers français, qui ont étudié l'histoire des jardins, créent de nouveaux chefs-d'œuvre, des jardins où les plantes vivaces inscrites dans un dessin assez structuré croissent en une luxuriante liberté à l'égal des plus grandes réussites anglaises de la Belle Époque. Si d'autres jardins du XXe siècle expriment souvent un goût très personnel, sinon excentrique, tous montrent cette préférence pour les détails les plus exquis, qu'il s'agisse du tracé du jardin ou du choix des fleurs. Malgré leur sens de la maîtrise jamais démenti, les Français ont pu apprendre les joies de l'imitation de la nature sans se laisser pour autant asservir par ce « naturalisme » en vogue chez les jardiniers anglais ou américains, qui semblent travailler en amateur, sans aucun but précis, utilisant au petit bonheur les courbes et les plantes qu'ils trouvent sur place.

Dans son *Éducation d'un jardinier*, Russel Page indique que « la création d'un jardin, tout comme le jardinage lui-même, concerne les relations de l'être humain avec son environnement naturel. Son expression en a varié d'un lieu à l'autre, d'une époque à l'autre, selon que l'on considère le plus petit jardin d'herbes aromatiques du Moyen Âge [...] ou les gigantesques perspectives tracées par Le Nôtre à travers les douces collines et les forêts de l'Île-de-France ». Cet ouvrage nous présente également certains jardins français dont le style semble illustrer les mots de Russell Page. Les longues plates-bandes tracées par Monet à Giverny, surchargées de fleurs et resplendissantes de couleurs, ne diffèrent guère en esprit des jardins d'herbes aromatiques plantés au Moyen Âge dans les monastères. Le patchwork potager et les jardins allégoriques en terrasse de Villandry, une « reconstruction » contemporaine, sont fondés sur l'interprétation par Androuet du Cerceau du jardin Renaissance, un siècle avant que Le Nôtre travaille à Versailles. Dans le Midi, à La Chèvre d'Or, les vieilles terrasses d'oliviers rappellent le formalisme italien tout en offrant de puissantes lignes et perspectives pour encadrer des plantes exotiques en provenance de tous les climats tempérés de la planète. À Eyrignac,

les formes géométriques taillées « au millimètre près » définissent une architecture de verdure dans le plus pur style XVIIIe siècle ; il s'agit là d'un jardin magnifiquement restauré, sauvé de la négligence du XIXe siècle.

D'autres jardins qui reflètent une passion de botaniste expriment les aspects les plus naturalistes du jardinage à la française. Dans un jardin de la presqu'île du Cotentin règne une beauté sauvage créée par les espèces tropicales qui y poussent dans une profusion romantique. Un autre, à Kerdalo, en Bretagne, reste contenu dans son cadre de vieux murs et de terrasses. Et même quand il s'agit de jardins les moins cérémonieux dessinés par des étrangers, on retrouvera toujours dans leur organisation un élément de cette maîtrise typiquement française. Le propriétaire d'un jardin de l'Île-de-France, un Américain ayant grandi dans un parc sauvage d'une région boisée de la Nouvelle-Angleterre, a dompté ses plantations libres grâce à des haies de buis et à des allées qui en redéfinissent l'espace. Situé près de Dieppe, le Vasterival est un jardin à la manière de Robinson Crusoé, qui fut créé en 1957 par la princesse Sturdza : ses carrés isolés, regorgeant de couleurs, sont méticuleusement soignés dans les moindres détails. Sur la Côte d'Azur, la Serre de la Madone est devenue un paradis de botaniste au bénéfice du propriétaire américain qui possède également Hidcote, en Angleterre, mais son dessin suit le motif des terrasses qui descendent sous la villa. À La Garoupe, créée au début du siècle par les Aberconway, les plantes rares et la végétation du maquis tempèrent le formalisme de son tracé.

Marie-Françoise Valéry décrit d'une plume évocatrice certains jardins des plus significatifs, qu'ils soient implantés dans les forêts royales du nord, dans les vergers normands, dans les collines de Bourgogne ou le maquis sec et odoriférant du Midi. Ces textes sont fidèlement illustrés par l'objectif de Georges Lévêque, dont les photographies expriment l'atmosphère de chaque jardin et met en valeur les nuances de la lumière froide du nord, opposées aux teintes roses translucides de la brume de chaleur qui se lève sous le soleil de la Méditerranée. Si à Royaumont le ciel gris est voilé de brouillard, à La Garoupe la chaleur brûlante n'est apaisée que par quelque échappée vers le bleu méditerranéen. Par le truchement des photographies, nous nous promènerons à Eyrignac, dans son jardin à la française orné de charmilles et de perspectives qui n'ont rien à envier à Versailles, délicieuses par leurs dimensions plus modernes, c'est-à-dire humanisées. Les douces couleurs florales qui agrémentent Les Trois Pommes, en Île-de-France, résultent d'une ambiance plus imprégnée de l'esprit des jardins anglais. Texte et photographies éclairent la vaste gamme des opportunités de jardinage que l'on rencontre dans les différentes régions de France. Plus que cela, ils nous conduisent au cœur de réalisations particulières, dans lesquelles leurs propriétaires se sont emparés de la nature pour l'apprivoiser et réaliser de bien singuliers effets de la beauté et de l'imagination. Bien que jamais nous n'oublierons la splendeur de Versailles, nous saurons désormais que l'art du jardinage tel que les Français le pratiquent aura bien plus à nous offrir qu'une simple répétition ou une banale rumination de l'éthique du formalisme. Et nous visiterons la France dans l'expectative d'un plaisir renouvelé.

Penelope Hobhouse,
Tintinhull, 1990.

Jardins classiques

Empreints de majesté et d'une certaine rigueur, les jardins formels prennent leurs racines dans la tradition la plus classique. Ces décors somptueux sont souvent soumis à l'autorité d'un château, comme à Courances, et leur tracé repose sur une architecture végétale bien affirmée.

La nature y est maîtrisée, disciplinée, ordonnée : l'homme lui a laissé peu d'initiatives. Tout accident de terrain est aplani et l'espace se divise en vastes terrasses reliées par des escaliers. L'eau est enfermée dans des bassins dépouillés de plantes où se mire le ciel, parfois très élaborés. Les pelouses sont découpées en rectangles ; les arbres sont alignés au cordeau, les arbustes prennent la forme de cônes ou de pyramides ; il en est ainsi à Eyrignac ; les fleurs, quand elles sont présentes – on prétend que Le Nôtre ne les aimait pas –, suivent les courbes d'une arabesque ou la rectitude d'un motif géométrique. Les jardins classiques sont souvent des jardins verts où les espèces végétales sont choisies avec beaucoup de sobriété : ifs, charmilles, buis, tilleuls, platanes en constituent la charpente ; ils en assurent la permanence et la stabilité. Les ornements de pierre, les statues et les treillages sont souvent les seules fioritures admises.

Ce sont des jardins faits pour l'esprit, d'où il émane une logique toute cartésienne : géomérie, symétrie, perspectives sont des constantes dans ces compositions équilibrées, magistralement menées, où les promenades suivent des allées rectilignes et des axes grandioses qui se coupent à angle droit et rejoignent le ciel sur la ligne d'horizon. Avec élégance, emphase, ordre ou mesure, ces jardins ont grande allure.
L'arrière-plan des jardins d'ornements de Villandry s'articule sur une fontaine. Une promenade ombragée la domine. Ici, tout est symétrie, géométrie et rigueur. Un motif répond toujours à un autre, ce qui crée un décor à l'équilibre parfait. Des myosotis et quelques tulipes apportent une touche de fantaisie et font chanter ifs et buis.

Courances

Courances, ce lieu plein de fraîcheur dont le seul nom évoque l'eau qui court. Une multitude de sources y naissent et alimentent pièces d'eau, bassins et cascades. L'eau, sa présence animée, ses frémissements, sa musique et ses reflets lui donnent tout son charme.

Ce château Louis XIII et ces jardins à la française se trouvent à la lisière d'une forêt peinte par Corot et au cœur d'une région qui a toujours profité du rayonnement de Fontainebleau, de ses traditions équestres et militaires, et de sa richesse incontestée dans le domaine des arts.

Onze sources y prennent naissance. De l'eau en quantité, certes, mais surtout en qualité. La limpidité y est tout à fait exceptionnelle. Du temps où les rois résidaient à Fontainebleau, la pureté de l'eau de Courances était si renommée que l'on en envoyait chercher pour les enfants royaux.

Bien d'autres jardins célèbres jouissent du même luxe : il suffit de penser à Versailles avec ses Grandes Eaux. Mais le Roi-Soleil ne fut-il pas obligé de faire appel aux techniques hydrauliques les plus modernes pour actionner les jets d'eau de ses jardins ? Car il manquait à cet ensemble fastueux l'eau nécessaire pour alimenter les cascades qui devaient « ne se tarir ni jour ni nuit ».

À Courances, l'eau court naturellement et lui donne sa vie. Un auteur du XVIIIe siècle, Dulaure, s'en émerveille et écrit : « Effet de la nature, elle coule sans arrêt, à la différence de certaines cascades grandioses qui ne semblent vivre par instant qu'au prix de gros efforts, et doivent ensuite se reposer comme une peinture qui pourrait disparaître et laisser vide son cadre. »

Aucun moteur n'actionne les jeux d'eau de Courances. Le créateur de ces jardins a simplement su tirer parti de la force naturelle des sources jaillissantes. Ainsi bassins et cascades communiquent entre eux par des tuyaux souterrains et se jettent dans l'École, rivière qui poursuit sa course le long des prés, de l'autre côté des barrières blanches où vivent tranquillement quelques chevaux.

À GAUCHE
À Courances, de longues et larges allées ouvrent des perspectives grandioses. L'allée Marie-Louise part d'une pièce d'eau appelée la Gerbe et rejoint l'extrémité du Miroir. Cette promenade herbeuse est bordée d'arbres indigènes, de hêtres, de charmes et de frênes qui s'épanouissent en liberté, encadrés simplement par une haie de buis qui s'accorde avec le classicisme du parc.

PAGES SUIVANTES
Le château domine deux parterres en broderie dont les arabesques symétriques sont fidèles à la tradition classique. Au-delà scintille le Miroir d'eau. Le ciel et le château s'y réfléchissent. De vastes pelouses tout autour l'apaisent. Et de part et d'autre, des massifs de tilleuls parfaitement équilibrés s'ordonnent au-dessus de haies taillées.

Les pièces d'eau sont légion à Courances : en entrant, de part et d'autre de l'allée d'Honneur bordée par deux tapis verts, s'étendent deux canaux où se mirent de majestueux platanes classés. Le château n'est pas entouré de douves, comme on pourrait le croire, mais il est construit sur une île. L'allée ombragée de la Table mène à une pièce d'eau décagonale appelée la Gerbe. À gauche du Grand Canal se trouvent les fameuses cascatelles que l'on appelle aussi les Nappes. Dans le prolongement du miroir d'eau où se reflète par beau temps le château, vous trouverez un bassin rond et en son centre une statue qui représente des enfants chevauchant un dauphin. Plus loin, au-delà du grand tapis vert, la perspective s'achève sur le Rond de Moigny. En revenant vers le château, vous vous arrêterez devant la déesse Aréthuse, statue en marbre sculpté de Poirier. Elle vient de Marly et surplombe la pièce d'eau du Fer à cheval. Vous ne manquerez pas d'observer les « gueulards » à tête de dauphin, en grès de Fontainebleau, d'où jaillit l'eau. Vous en apprécierez la rareté car on les rencontre peu en France. Sans doute sont-ils d'inspiration italienne. Peut-être même ont-ils été sculptés par des artistes italiens venus travailler à Fontainebleau. Enfin, près de la Foulerie, cette ravissante bâtisse qui fait face au jardin anglo-japonais, vous trouverez la pièce d'eau du Presbytère d'où l'on aperçoit le clocher du village.

Le château est blanc, gris et rose : on y retrouve le blanc du grès de Fontainebleau, le gris des ardoises et le rose des briques. Il a été conçu dans le plus pur style Louis XIII : composé des trois matériaux les plus recherchés à cette époque, alliant régularité, symétrie et sobriété de la décoration, on y retrouve les hautes cheminées, les toitures élevées et aiguës chères aux architectes du XVIIe siècle.

Le parc est gris, vert et bleu : gris du grès de Fontainebleau, bleu de l'eau et vert de la végétation.

Les buis vivent bien à Courances, les grands comme les petits. Chênes, tilleuls, ifs, hêtres, frênes, marronniers, charmes et char-

milles sont parmi les espèces les mieux représentées. Et notamment les platanes : ceux-ci, par leur majesté, donnent immédiatement le ton dès l'entrée. Tout à fait exceptionnels de par leur nombre, leur grand âge puisqu'ils furent plantés en 1782, et l'envergure inimaginable de leurs branches défiant toutes les lois de l'équilibre, ils sont à eux seuls une véritable œuvre d'art. Monsieur et madame de Ganay tremblent les jours de tempête ou d'orage, craignant qu'ils soient endommagés.

Le parc est attribué à Le Nôtre, mais rien n'est certain, car la propriété ayant changé maintes fois de main, il ne reste pas d'archives. Il a été restauré par Achille Duchêne, cet architecte-jardinier français qui, à la fin du siècle dernier, a redonné un sang nouveau à bon nombre de propriétés délabrées. Blenheim en Angleterre, Lœil en Belgique, ou Vaux-le-Vicomte en France, sont parmi les plus célèbres. Travaillant d'après des plans anciens, il rénovait fidèlement et y ajoutait son empreinte personnelle. Grâce à lui, et à la marquise de Ganay, née Béhague, qui fit appel à ses services, Courances revint à la vie.

À quelques variantes près, Courances réunit toutes les caractéristiques du jardin à la française.

Dans ce style de jardin, le château et ce qui l'entoure doivent constituer un tout; la demeure, symbolisant l'autorité du maître des lieux, doit dominer le parc qui lui est soumis. Soumis, puisque du château le regard doit embrasser l'ensemble des jardins, comme c'est le cas à Vaux-le-Vicomte. Soumis aussi quant à la façon de traiter la nature puisque la végétation y est contrainte par des tailles rigoureuses.

À Courances, le château est transparent. Il est clair, car la lumière entre à loisir par les immenses et multiples fenêtres. Des salons situés au premier étage, et en tournant simplement la tête, il nous est donné de contempler la perspective du miroir d'eau d'un côté et, de l'autre, celle qui au-delà de l'entrée principale se prolonge par une allée sans fin.

Les parterres en broderie de buis, ornés de savantes arabesques, peuvent être appréciés en particulier des pièces de réception, selon la tradition.

La géométrie et la symétrie des dessins y sont évidentes : les deux canaux de part et d'autre de l'allée d'Honneur, les deux parterres de broderie, les deux allées obliques face au château, les deux rangées de statues qui rythment le bord du miroir d'eau en sont des exemples éloquents.

On retrouve là des idées chères à Le Nôtre : le thème du Grand Canal n'est-il pas l'essentiel de ses compositions ? Pensez à Vaux-le-Vicomte, Chantilly ou Sceaux. Le Nôtre savait jouer avec les plans d'eau qu'il utilisait comme sources de lumière. Canaux, bassins et miroirs ne réfléchissent-ils pas à merveille les rayons lumineux, tout en y ajoutant ondulations, oscillations et bruissements. Maîtrisant à la fois les lois de l'optique et de l'hydraulique, il savait ainsi conférer aux lieux un caractère féerique.

Certes, des salons de réception, la vue sur l'ensemble du parc est saisissante. Mais l'architecte-jardinier a réservé au promeneur quelques surprises. Les cascatelles surgissent au détour d'une allée, dans toute leur majesté. Ou encore, le regard se pose sur un autre bassin de forme décagonale tout à fait inattendu.

Par ailleurs, le plan semble symétrique, mais on y découvre quelques variantes. Ainsi, l'allée de la Table conduit à une pièce d'eau alors que l'allée qui lui est symétrique mène à un rond-point en herbe.

Dans un jardin à la française, les allées sont le plus souvent recouvertes de gravier. À Courances, elles sont parfois en pelouse.

Enfin, si Le Nôtre revoyait les arbres qui bordent le miroir, il leur aimerait sans doute davantage de rectitude. Aujourd'hui, au contraire, ces tilleuls aux formes rebondies adoucissent et assouplissent les tracés rectilignes. À Courances, on a laissé la nature plus libre, tout en gardant les lignes d'architecture.

La grand-mère de l'actuel marquis de Ganay, Berthe de Béhague, marquise de Ganay, a voulu créer un jardin qui contraste en tous points avec l'ensemble du parc. Conseillée par une amie jardinière anglaise, madame de Ganay composa un jardin anglo-japonais. Au printemps, les bulbes naturalisés, l'arbre de Judée, les scilles campanulés, les digitales, les géraniums vivaces et les pivoines déploient des tons subtils et délicats. À l'automne, les acers flamboient dans une gamme de tons chauds allant du jaune d'or au rouge carmin en passant

par toutes les couleurs fauves. On est bien loin du jardin à la française.

Monsieur et madame de Ganay et leurs enfants sont très attachés à Courances et s'emploient à l'entretenir de façon irréprochable. Tout y respire le bien-être.

Madame de Ganay est présidente de la Société des amateurs de jardins. Très avertie en art des jardins, passionnée par les fleurs, madame de Ganay s'est adonnée à des plantations près du château : elle y a rassemblé des plantes à feuillage gris et argenté, des rosiers aux couleurs pâles comme « New Dawn », « Mermaid » ou « Canary Bird », et a palissé des magnolias et des hydrangéas sur les murs qui s'y prêtaient. Ainsi, un *Hydrangea petiolaris* grimpe le long des murs du joli pavillon Louis XIII près de l'entrée. Autant de plantes recherchées qui ajoutent à la beauté des lieux, tout en les faisant évoluer et vivre éternellement.

Courances palpite et nous fait vibrer : le mouvement de l'eau, le pas des chevaux dans les prairies, le parfum du philadelphus, de la rose « Aloha » ou des géraniums odorants en bouquets, tout concourt à la vie et à l'harmonie.

Le parc et le château sont ouverts au public l'après-midi, le samedi, le dimanche et les jours fériés, de Pâques à la Toussaint.

Le jardin de Thury-Harcourt

Il n'existe pas deux jardins semblables, c'est l'évidence. Mais parfois, certains s'inspirent d'autres et se font l'écho des mêmes influences. Cependant, celui-ci tient de l'inédit. Son créateur, le duc d'Harcourt, est également l'auteur d'un traité sur l'art des jardins tout à fait remarquable qui a pour titre *Des jardins heureux*. C'est un ouvrage clair, poétique, qui s'adresse à ceux qui souhaitent embellir l'espace autour de leur demeure. Il s'en dégage une jolie sagesse à l'égard de la nature. Le jardin de Thury-Harcourt applique ces principes élevés en s'adressant à nos sens et à notre esprit.

Il s'inscrit dans un parc historique au cœur des herbages normands. Les ruines du château, dès l'entrée, nous font rêver des splendeurs passées. La Révolution, la guerre et un incendie ont eu raison de la grandeur des pierres. Le duc d'Harcourt voulut qu'il soit confié à la nature le soin de redonner aux lieux toute leur beauté.

Le parc vallonné fut redessiné et planté. L'allée des Pervenches, l'allée de Merisiers et l'allée de Mai sont engazonnées et bordées d'arbustes à fleurs et de plantes bulbeuses. Elles invitent à une promenade qui se poursuit sur les bords de l'Orne. Et puis, tout à coup, au détour d'une sente, en contrebas, surgit un jardin multicolore qui surprend par sa platitude et sa rectitude : l'effet de surprise est réussi. Comme ces phrases dont il faut déchiffrer le sens caché des mots, le jardin de Thury-Harcourt doit être interprété. Le duc d'Harcourt nous en donne les clés.

Dans une clairière délimitée par des murs de verdure rigoureusement taillés, s'étendent quatre rectangles aux pourtours fleuris. Ils sont ordonnés selon deux axes perpendiculaires, adoucis dans la partie centrale par un grand cercle. Ce dessin géométrique est particulièrement harmonieux car le duc d'Harcourt y a appliqué la règle du nombre d'or. Nous la tenons des Grecs qui donnaient aux formes rectangulaires la dimension suivante : 1 m × 1,62 m.

Certes, les formes dessinées sont très équilibrées. En cela, le duc d'Harcourt s'est montré excellent architecte. Vous découvrirez

À GAUCHE
À peine peut-on croire que cette profusion de fleurs estivales appartienne à un jardin formel. Mais ici, les couleurs pastel et les tonalités plus vives ont été choisies pour créer de grands effets : grâce aux cosmos, aux dahlias, aux leucanthèmes, aux delphiniums et aux campanules. En fait, bien que les plantations soient informelles, les fleurs décrivent des motifs qui se situent dans la plus pure tradition classique. C'est ce qui fait toute l'originalité de ce jardin.

qu'il est également peintre et musicien. Peintre car il sait manier les couleurs. Musicien pour avoir rythmé le tracé par des hibiscus qui ponctuent les plates-bandes, roses pour le centre, bleus pour les angles extérieurs.

Revenons aux couleurs : même si quelques touches de jaune, d'orangé ou de rouge égaient l'ensemble, les pastels dominent. Dans les longues bordures plantées sur trois rangs, les plantes les plus hautes occupant le centre, deux groupes d'asters bleus succèdent, au fil des semaines, aux merveilleux delphiniums mauves : ces tonalités mélancoliques appellent le rose, tandis que le blanc sert de transition et permet toutes ces juxtapositions.

Les plantes n'ont pas été choisies parmi les espèces rares. Celles qui s'y sentent heureuses ont été maintenues en place : des annuelles (sauges farineuses, cosmos, lavatères, zinnias, cléomes), des dahlias, des plantes vivaces (phlox, monardes, nepetas) et des arbustes (rosiers, hibiscus) se relaient et nous offrent leurs fleurs du début de l'été aux premières gelées.

Ici, la beauté est perçue par nos sens : notre vue, bien sûr, notre odorat pour les parfums, notre ouïe puisque les oiseaux y trouvent refuge, et notre toucher, car nos pieds aiment à fouler la pelouse moelleuse. Cette beauté fait également appel à notre esprit qui essaie de comprendre les intentions du créateur.

Le duc d'Harcourt nous explique dans son livre qu'il s'est mis à l'écoute de la nature, respectueusement. Il s'est plié au climat, à la qualité du sol, à l'ensoleillement, aux époques de floraison, aux plantes qui se plaisaient. Il s'est efforcé de « réaliser les vœux secrets de la nature ». Amateur éclairé et raffiné, il s'est effacé devant elle, s'est fait son humble serviteur tout en se posant comme acteur. Pour honorer ses hôtes, il a créé ce jardin d'été d'où se dégage une impression d'ordre et de sérénité. Le jardin de Thury-Harcourt compte parmi ces lieux où, pour reprendre les termes du duc d'Harcourt, « on pressent l'éternité », conformément à l'une de ses pensées : « Un

CI-DESSOUS
*Ce détail montre que tout a
été pensé dans les moindres
détails pour les meilleurs
effets : ici, ce dahlia au teint
de pêche se détache sur les
grands rectangles de pelouse
d'un vert profond.*

À DROITE
*L'originalité des plantations
tranche avec le tracé simple
et formel. À cet
emplacement se trouvait
jadis un potager abrité des
grands arbres.*

beau jardin est celui créé avec amour, les
exigences de la nécessité devant toujours pri-
mer sur les préférences personnelles. C'est
celui qui suscite l'émerveillement, cet instant
de bonheur, ce moment d'éternité perçu en
présence de l'éphémère. »

Le parc est ouvert au public du 1er avril
au 30 juin, le dimanche et les jours fériés de
14 h 30 à 18 h 30, et du 1er juillet aux premières
gelées tous les jours de 14 h 30 à 18 h 30.

Eyrignac

Un jardin à la française en Périgord noir ? La terre et le climat sont difficiles. Aussi les beaux jardins sont-ils rares dans cette région. Personne n'en avait entendu parler jusqu'à ce qu'il ouvre ses portes tout récemment. Il n'est pourtant pas né de la dernière pluie. Restauré amoureusement, il offre aujourd'hui toute sa plénitude.

C'est un jardin d'architecture végétale magistralement orchestrée. Avec sobriété, majesté et pureté. Et au millimètre près. Madame de Maintenon prétendait que Louis XIV ne permettait pas au moindre rameau de pousser en liberté. Patrick Sermadiras de Pouzols de Lile non plus. Avec quelques nuances : il s'émerveille chaque matin car il le trouve changé, subtilement différent de la veille, grâce à ses parfums fluctuants, grâce à l'évolution minime mais tangible de ses végétaux. Il observe son jardin avec la vigilance d'un esthète épris de nature.

Eyrignac est son enfant. Il y est né, a grandi parmi les arabesques, les pyramides et les colonnes de verdure. Il connaît les courbes, les arrondis, les angles et les obliques dans les moindres détails. Il s'y promène à toute heure de la journée, parfois même la nuit si le hasard veut qu'il le retrouve après une trop longue absence à une heure indue. De Paris où il travaille – il est en effet éditeur d'art –, il téléphone aux jardiniers deux fois par jour. Une passion dévorante le tient.

Ce jardin fut créé au XVIIIᵉ siècle par les ancêtres de Patrick Sermadiras. Puis au XIXᵉ siècle, il connut une période exotique délirante avec palmiers et bambous. Il sombra ensuite dans la décrépitude, jusqu'au jour où le père de Patrick Sermadiras décida de le restaurer d'après les plans d'origine dus à un décorateur italien du nom de Ricci. Cette restauration date des trente dernières années. La propriété fut ensuite confiée à Patrick Sermadiras qui s'est passionné pour ce décor végétal tout à fait original.

Eyrignac est situé au cœur du Périgord noir. Noir comme les truffes. Sarlat est à deux pas. Le jardin est vert : vert multicolore. Tous ces verts sont très beaux. Le relief des motifs

favorise les jeux d'ombre et de lumière et en diversifie la gamme. Les textures variées des feuillages offrent tout un échantillonnage de tonalités différentes : la pelouse abondamment arrosée par un système intégré, d'un vert printanier, met en valeur les feuilles vernissées et luisantes des buis, les aiguilles sombres et mates des ifs, ou les feuilles plus transparentes des charmilles dont la couleur évolue au fil des saisons pour mourir et renaître tendrement dès les beaux jours.

Le jardin apparaît en sortant du manoir, en contre-haut. Précédé d'une cour d'honneur dont le sable est ratissé deux fois par jour et d'un bassin souligné de buis, il décrit des arabesques auxquelles on accède par deux escaliers de pierre. Une allée d'ifs deux fois centenaires taillés en forme de pointe de diamant pyramidale s'allonge grâce à un effet d'optique : les marches arrondies qui la rythment se rétrécissent, accentuant ainsi artificiellement la profondeur de la perspective.

À gauche, le jardin s'ouvre sur l'allée des Charmes : elle est magnifique. Des contreforts végétaux de charmilles enserrent à intervalle régulier des cylindres d'ifs. Au fond, le regard se

L'allée des vases : elle est parallèle à l'allée des charmes. Des ifs s'appuyant sur des cyprès décrivent des créneaux arrondis. Chaque anse est ornée d'un vase en terre cuite surmonté d'un if taillé en plateau. À l'extrémité de la perspective, on aperçoit le manoir que l'on rejoint après avoir traversé un salon de verdure.

pose sur un pavillon chinois, dans la tradition des parcs du XVIIIᵉ siècle.

On entrevoit à gauche un bassin. Un pavillon sarladais domine cette pièce de verdure, rendue intime par un jeu de haie de charmilles. Puis le regard respire sur un verger où Patrick Sermadiras a rassemblé des pommiers taillés en boule aux fruits rouges, dont les pieds sont sertis de santolines grises.

La promenade continue du même côté dans une allée transversale qui mène à une salle de verdure récemment plantée. Dominant les champs et les coteaux de Sarlat comme un belvédère, elle est ceinte d'une haie de charmilles où l'on a ménagé des ouvertures.

À main gauche, on est attiré par l'allée des Vases. Appuyée sur des cyprès, une haie d'ifs décrit des créneaux arrondis. Un vase de terre cuite, contenant des ifs taillés en plateaux surmontés d'une boule, rythme chaque anse. Au milieu de cette allée, deux fontaines se font face et rappellent l'Italie.

Et l'on arrive à un rond-point ombragé orné en son centre d'un motif de buis en broderie. Puis on regagne le manoir après avoir traversé un boudoir à ciel ouvert où il fait bon se reposer dans la fraîcheur des grands arbres, avec comme petite musique de fond le chant des cigales.

Une entreprise est chargée de la taille des végétaux. Les jardiniers qui mènent à bien cette tâche sont des artistes. Ils usent du cordeau, des gabarits et de la cisaille. Cependant, tout instrument électrique est banni, seule la cisaille à main est utilisée. Les ifs et les buis sont taillés deux fois par an. Les charmes quatre fois. Il faut parfois rajeunir les végétaux et tenter de véritables opérations chirurgicales pour les sauver. Les ifs de l'allée des Charmes sont pluricentenaires, ils datent de l'ancien jardin. Certains ont même été remis à nu pour que renaisse la densité de leur feuillage.

Jamais Patrick Sermadiras n'aurait imaginé que ce jardin prendrait une telle impor-

À GAUCHE ET CI-DESSUS
Voici l'envers et l'endroit d'une perspective transversale qui coupe à angle droit l'allée des charmes. D'un côté, elle conduit à un bassin dominé par un pavillon de style sarladais, comme le manoir. De l'autre, par un escalier de verdure, la perspective monte et ouvre sur la campagne. Les marches sont en buis et en Hypericum. Là aussi, l'architecture végétale est très affirmée et très équilibrée.

tance dans sa vie. Quand son père le lui a confié, il n'embaucha qu'un jardinier. Désormais, quatre sont devenus nécessaires. C'est un succès. Eyrignac lui apporte de grandes joies : son cœur est là.

Les jardins sont ouverts du 1er juillet au 30 septembre, tous les jours de 14 h 30 à 18 h 30, ou sur rendez-vous toute l'année en téléphonant à Paris au 47.66.51.21. Adresse : Manoir d'Eyrignac, Salignac, 24590 Sarlat.

Villandry

La douceur tourangelle : c'est une alchimie, un mélange de lumière, de pierre blanche, de sable blond, d'ardoises scintillantes, le tout sous un ciel pommelé, caressé par un soleil qui peut se faire ardent. Villandry baigne dans cette atmosphère, au cœur de la Touraine dont Balzac nous dirait qu'elle est à elle seule une œuvre d'art, avec ses centaines de châteaux enchâssés dans la verdure. Villandry est l'un de ces joyaux.

Avec ses trois corps de logis cernant la cour d'honneur, le château prend la forme d'un fer à cheval. Ses galeries en arcades, ses fenêtres richement décorées, ses toits d'ardoises pointus, sont élégants et harmonieux. Il date du XVIe siècle et nous le devons à Jean Le Breton, ministre de François Ier. Villandry fut construit pour lui, par lui. Il était à la fois financier et architecte.

Les propriétaires successifs de Villandry, parmi lesquels le marquis de Castellane et le frère de Napoléon sont les plus marquants, avaient dénaturé l'endroit. Les uns avaient ajouté au château des motifs architecturaux du plus mauvais goût, les autres avaient créé tout autour un jardin à l'anglaise hétéroclite, faisant totalement abstraction des traditions esthétiques du domaine.

Or, en 1906, Villandry fut providentiellement sauvé par Joachim Carvallo qui se passionna pour sa restauration. Cet éminent savant d'origine espagnole avait épousé une richissime américaine. Monsieur et madame Carvallo allièrent leur talent et leur argent pour redonner vie à ce qui devait être un chef-d'œuvre typiquement français.

Le château recouvra sa pureté d'antan. Quant aux jardins, ils furent complètement repensés d'après les plans d'un architecte du XVIe siècle, Androuet du Cerceau. Au début, le docteur Carvallo, devant l'ampleur de la tâche, fut effrayé. Mais il se sentit chargé d'une mission. Puriste, perfectionniste, esthète, poète, il redonna aux jardins toute leur intelligence en mariant avec succès nature et culture.

Villandry est un jardin pour l'esprit. Rigueur et clarté font de ces lieux un chef-d'œuvre posé, mesuré, rythmé qu'affec-

À GAUCHE
Vue d'ensemble du potager qui met en valeur son tracé géométrique, rappelant un labyrinthe. Aux intersections des allées recouvertes de 'mignonette', apparaissent des berceaux en treillages envahis de rosiers grimpants. À l'intérieur des damiers délimités par des petites haies de buis taillés, les légumes offrent des couleurs de feuillages variés. Au fond, une promenade ombragée permet d'embrasser l'ensemble; plus loin, on aperçoit les maisons du village.

CI-DESSUS
Gros plan sur une planche de salade rouge. Derrière, par contraste, ressortent des bettes alignées, au feuillage charnu alléchant. Des arbres fruitiers ponctuent les extrémités des allées.

CI-DESSOUS
Détail de la mosaïque de légumes avec, en gros plan, d'énormes choux qui se colorent dès septembre, et sont décoratifs jusqu'à Noël.

tionnent les adeptes du cartésianisme français. Quelques fioritures çà et là (terrasses, fontaines) évoquent pourtant la Renaissance italienne. Et surtout, les jardins de Villandry rappellent les jardins clos des monastères médiévaux avec leurs treillages, leurs herbes médicinales, leurs légumes et leurs fleurs cultivées pour la décoration des autels : ces influences se mêlent harmonieusement et se déchiffrent du haut des terrasses d'où l'on domine l'ensemble. Les jardins qui couvrent cinq hectares sont disposés comme dans un écrin. Protégés d'un côté par le château, de l'autre par le village et son église, ils s'appuient au nord sur les communs et s'ouvrent à l'opposé sur la campagne.

Ils s'étendent sur trois niveaux. Une petite vallée descend du plateau au sud et une source alimente une pièce d'eau en forme de miroir. Cette eau poursuit sa course dans les douves et jaillit des fontaines.

Les jardins décoratifs sont situés de plain-pied avec les pièces de réception du château, tandis que le potager se trouve au niveau des

communs. Chacun des trois jardins est entouré et surplombé d'une allée ombragée : la voûte des tilleuls ou les pergolas envahies de vignes permettent au promeneur de découvrir les jardins dans la fraîcheur de ces feuillages.

Voilà pour la structure. Revenons aux jardins décoratifs : les premiers motifs de buis veillés par des sentinelles d'ifs taillés en plateaux évoquent l'amour. Des glaives et des poignards symbolisent l'Amour tragique. L'Amour adultère joue de l'éventail. L'Amour tendre est représenté par des cœurs séparés par des flammes et l'Amour passion par des cœurs brisés.

Au-delà, toujours en buis, sont représentées des croix magistralement dessinées : la croix de Malte, la croix du Languedoc et celle du Pays basque. Aux buis se mêlent des pensées, des myosotis, des tulipes, des dahlias ou des rudbeckias.

De l'autre côté du canal s'étend le Deuxième Salon : trois carrés dessinent des motifs qui symbolisent la musique et qui représentent des instruments stylisés. Les harmonies de couleur sont ici très douces. Aux petites feuilles vernissées des buis s'oppose le feuillage lancéolé des iris qui, au printemps, éclairent les parterres grâce au bleu lavande très lumineux de leurs fleurs soyeuses. Les santolines grises et les lavandes remplissent les espaces qui donnent de l'élégance aux dessins.

En contrebas, s'étend le potager. Divisé en neuf carrés, il décrit des motifs géométriques bien affirmés : des croix, des grecques ou des lignes brisées qui ne sont pas sans rappeler les jeux d'un labyrinhe. Les allées sont recouvertes du sable de la région, charrié par la Loire, que l'on appelle mignonnette. L'intersection des allées est ponctuée par un bassin enjolivé de quatre berceaux en treillage où grimpent des rosiers. Les légumes (choux, artichauts, oseille, carottes, poireaux, aubergines, tomates, bette-raves, coloquintes), leurs couleurs (vert, jaune, orangé, rouge, glauque), leurs textures (lisse, gauffrée, brillante, duveteuse) sont choisis par madame Carvallo, épouse de l'actuel proprié-taire Robert Carvallo, petit-fils de Joachim Carvallo. Madame Carvallo échelonne les plan-tations, étudie les associations et obtient des effets spectaculaires.

Les saisons se succèdent joliment à Villan-dry. En hiver, apparaît un jardin graphique. Quand la neige est là, ou le givre, les lignes de force apparaissent. Au printemps, les tulipes, les iris et les myosotis attendrissent le tracé. En été, le potager et les jardins de fleurs sont éblouissants. L'automne dore les tilleuls aux pourtours, et enflamme légumes, fleurs et fruits : tout fructifie, les récoltes abondent et le potager pourrait nourrir le plus vorace des Gargantua. Les visiteurs qui passent au bon moment peuvent s'en voir offrir : car les carrés sont changés deux fois l'an, en mars et en juin. Tous les ans, 140 ifs, 1 150 tilleuls et 5 000 m de buis sont taillés, 60 000 plants de légumes et 45 000 plants d'annuelles sont cultivés, 10 000 tulipes sont plantées !

La réputation de Villandry n'est plus à faire : c'est le plus beau potager du monde. Il réunit deux entités parfois difficilement conci-liables : le beau et l'utilitaire, en un jardin très architecturé, très géométrique, très graphique, tiré au cordeau, maîtrisé et discipliné.

CI-DESSUS
Voici le « Deuxième salon » : ces jardins symbolisent la musique et représentent des instruments stylisés. Les iris lumineux et transparents attendrissent les feuillages des buis et des ifs sombres.

Jardins structurés

Au fil des siècles, l'art des jardins est passé d'un extrême à l'autre : d'une architecture bien orchestrée, à l'italienne ou à la française, à une totale liberté avec les jardins à l'anglaise. Au XXe siècle, les créateurs ont choisi le juste milieu. Leurs goûts se sont portés sur des espaces structurés, divisés en pièces de verdure délimitées par des haies et plantées avec beaucoup de naturel.

De grands maîtres sont nés. Des jardins devenus célèbres ont servi de sources d'inspiration, de modèles, de lieux de référence incontournables. Parmi ceux-là, Sissinghurst a marqué son époque. Tous ces jardins plantés de façon informelle sont un peu les enfants d'Harold Nicholson et de Vita Sackville-West.

Ces jardins se sont adaptés aux exigences de la vie contemporaine. Ils peuvent se concevoir à plus petite échelle et leur entretien n'est pas trop exigeant.

Le jeu des harmonies et des contrastes les rend très séduisants. La rigueur de la structure, qui sert de cadre, accentue la liberté des plantations. La sobriété des haies fait ressortir la profusion des plantes. La verdure de l'architecture met en valeur les couleurs des fleurs.

Le tracé, les haies où les contreforts végétaux, comme au Potager ou aux Trois Pommes, sont un trait d'union entre la maison et le jardin : ils sont stables, immuables et rassurants. Les fleurs apportent leur charme, leur douceur et leur gaieté : elles s'allument et s'éteignent à tour de rôle et créent des effets changeants. Les feuillages, leurs textures et leurs volumes, donnent du relief : la lumière y joue et les anime.

Il faut être peintre, architecte, botaniste et jardinier pour réussir de tels chefs-d'œuvre. Car ces jardins trahissent l'âme de leur créateur. N'est-ce pas tangible à Kerdalo? Ces jardins sont autant de concerts entre l'Homme et la Nature qu'il soumet, tout en la laissant s'exprimer.

Kerdalo

Le prince Wolkonsky est peintre, et on peut apprécier ici son talent de coloriste. Dans les carrés situés en contrebas, devant la maison, il a rassemblé des couleurs gaies adoucies de plantes à feuillage argenté et pimentées de feuillages pourpres. Au centre, sur les arceaux grimpe la rose 'Temple Bell'. Au fond, un Cornus controversa « variegata » attire le regard par la beauté de son feuillage lumineux, léger et étagé. Il est situé entre les deux fabriques : l'une d'entre elles croule sous un rosier grimpant.

Kerdalo est un chef-d'œuvre. Il réunit tous les attributs d'un grand jardin : une structure magistralement orchestrée, une relation maison-jardin des plus harmonieuses, des scènes inédites, des couleurs subtilement associées, une adaptation judicieuse au site et des plantes rares. C'est un jardin fort, un jardin d'homme. Le prince Wolkonsky, doué de tous les talents, y travaille depuis vingt ans.

Sur la colline de Saint-Cloud qui domine Paris, il s'était échiné pendant des années à cultiver un jardin calcaire et à charrier de la bonne terre qui était invariablement avalée par la mauvaise. Ses nombreux voyages en Angleterre l'avaient fait rêver d'un lieu abondamment arrosé par le ciel où prospéreraient des plantes de sol acide. Il allait souvent en Bretagne passer des vacances avec ses enfants. Le hasard voulut qu'il découvrit Kerdalo, une propriété abandonnée de 14 hectares devenue un roncier boisé. Le fermier malade avait renoncé depuis longtemps à l'entretenir. L'endroit l'enthousiasma. Il faisait chaud et sec cet été-là. La présence de l'eau, les sources et le ruisseau qui se jette dans une anse de la rivière, près de Tréguier, tout cela le séduisait. Par ailleurs, c'est sans doute l'une des parties de la côte française dont le climat s'apparente le plus au Devon. De plus, la terre y est acide.

Architecte, décorateur, peintre, sculpteur, le prince Wolkonsky s'attacha d'abord à restaurer la maison : il remania cette grande bâtisse abandonnée, et l'enjoliva de pierres et de frontons anciens qu'il découvrit chez des démolisseurs. En décalant légèrement les toits, en positionnant différemment les bâtiments de l'extrémité droite, il reconstruisit une demeure proportionnée à son cadre. Adossée à des jardins en terrasse relativement pentus, elle semble prendre le jardin dans ses ailes tout en le dominant. Et en cela, Kerdalo serait d'inspiration classique. Pourtant, les terrasses et les dessins de galets qui ornent le sol évoquent l'Italie. Et surtout, le choix des plantes et leur ordonnance rappellent évidemment l'Angleterre. Kerdalo est un savant mélange de ces trois tendances. Carnet en main, le prince Wolkonsky a noté, au cours de ses nombreux

CI-DESSUS

Les jardins de Kerdalo sont beaux toute l'année. Voici une scène hivernale colorée. Sur les terrasses, derrière la maison, une collection de Phormium réchauffe le paysage : en rose P. macri 'Sunrise'; au premier plan, en pourpre foncé 'Dark Delight'; au fond à droite P. williamsii; au fond à gauche P. 'Sundowner'.

À DROITE

La pagode chinoise enjambe un ruisseau et domine un bassin bordé de rhododendrons jaune pâle; à ses pieds s'étalent deux rhododendrons à petites fleurs mauves : R. 'Blue Diamond' très certainement. Dans le lointain, on aperçoit la demeure.

voyages, des détails intéressants. Ce sont ses sources d'inspiration. Son talent a fait le reste.

Commençons la visite par les terrasses situées derrière la maison. Pendant quatorze mois, il a travaillé avec un bulldozer pour remodeler le terrain. Il a commencé par séparer la maison d'une pente rocheuse qui l'enterrait à moitié et par construire des terrasses qui sont autant de promenades parmi les plantes rares : des cyprès et une collection de phormiums structurent les plantations. Ils ont résisté aux hivers rigoureux et offrent de très beaux feuillages remarquables en hiver : verts, panachés ou légèrement pourprés, ils accompagnent des bulbes, des plantes méditerranéennes comme des cistes ou des *Convolvulus cneorum*, des callistemons, des *Beschorneria yuccoides* au très beau feuillage glauque lancéolé et un *Schefflera impressa*, des néfliers du Japon ou des *Echium pininana*.

Puis à droite de la maison, on monte vers un sous-bois en longeant une scène d'une grande beauté qui se déploie sur une longue perspective. Une pagode chinoise en bois, dessinée dans les moindres détails par le prince Wolkonsky qui a été guidé par un ami architecte, domine un long bassin bordé de rhododendrons jaune pâle : entre autres, on y trouve l'hybride *Rhododendron* « Katherine Fortescue » et le *R.* « Hawcrest ». La pagode enjambe un ruisseau et domine deux dômes de rhododendrons mauves à petites feuilles, probablement « Blue Diamond ».

Derrière, en montant, le prince Wolkonsky a planté une masse de rhododendrons botaniques, remarquables pour leur feuillage spectaculaire : *Rhododendron sinogrande, R. falconeri, R. macabeanum, R. eximium* ont de grandes feuilles dont le revers est glauque ou chamois.

Puis l'on s'enfonce vers un sous-bois « où l'on ressent le printemps comme nulle part ailleurs », pour reprendre les mots d'une cousine du prince Wolkonsky. Ici, tout est

PAGES PRÉCÉDENTES
Cette scène sauvage est composée de végétaux qui la rendent séduisante toute l'année : en rose, les clochettes légères du désespoir-du-peintre (saxifrage) ; la sauge bleue (Salvia superba) se mêle, aux agapanthes, tapissant le Stachys lanata gris et le Juniperus 'Blue Star' persistant en hiver, ce qui n'est pas le cas du fuchsia à gauche. Au pied du Lychnis coronaria « alba » ou coquelourde, fleurit la santoline jaune pâle qui éclaire le Berberis thunbergii 'Atropurpurea nana'. L'ensemble est dominé par le Chamaecyparis lawsoniana 'Fletcheri', à droite.

À GAUCHE
En sortant du jardin des quatre carrés, la promenade se dirige vers une grande pièce d'eau. Au printemps, elle se dore d'une collection d'azalées mollis installées sur les berges. En été, fleurissent des hydrangéas à têtes rondes qui semblent se noyer dans l'eau. Des arbres plantés il y a vingt ans leur servent de toile de fond.

À DROITE ET CI-DESSOUS
Au-delà de la pagode chinoise, un sentier monte vers un sous-bois d'une grande beauté au printemps : le prince Wolkonsky a rassemblé là des amélanchiers, dont la floraison blanche et légère met en valeur les fleurs plus charnues des magnolias soulangeana (au premier plan le M. soulangeana 'Brozzoni'). On y trouve aussi toutes sortes de rhododendrons augustinii du plus beau mauve.

jaune, jaune pâle ou presque blanc, et bleu. Amélanchiers, magnolias blancs et quantité de rhododendrons *augustinii* mauves, provenant de chez Lionel Fortescue, se mêlent à des cerisiers japonais offerts par le vicomte de Noailles ou Cherry Ingram. Pierre Wolkonsky y a ajouté une touche de pourpre avec un *Berberis atropurpurea*, tout simplement. Car il ne renie pas pour autant les plantes que l'on trouve couramment : si elles sont belles, elles ont leur place. La terre était acide au départ, certes, mais il a néanmoins apporté beaucoup de terreau et d'engrais dans cet endroit.

Tout en haut du vallon, se trouve une retenue d'eau qui prend la forme d'un petit étang (c'est l'un des neuf bassins que le prince Wolkonsky s'est attaché à construire au départ pour assurer un bon arrosage) : des hydrangéas à fleurs plates (*Hydrangea macrophylla*), des hostas, des agapanthes et des papyrus profitent de la fraîcheur et de l'humidité ambiante.

Et l'on continue à flancs de coteau. Là, on découvre de près une scène qui attire le regard de loin. C'est voulu : en hiver, cette partie dorée du jardin égaie le décor vu de la maison. Le prince Wolkonsky y a rassemblé quantité d'arbustes ou de petits arbres dorés ou pana-chés : *Pittosporum* « Irène Patterson », *Prunus laurocerasus* « Variegata », *Pittosporum tenuifo-lium* « Golden King » ; cyprès verts et dorés,

troènes panachés, et quantité de *Taxus baccata* « Aurea » qui structurent l'espace par leurs lignes verticales désormais spectaculaires.

Puis on arrive dans une vaste clairière où trônent quantité d'araucarias ou de conifères étranges, dégingandés et hirsutes qui proviennent du Chili. Tout près, a été planté un groupe d'*Acer pensylvanicum* « Erythrocladum » dont l'écorce couleur de corail est remarquable en hiver.

Et l'on redescend vers le jardin de fleurs en contrebas de la maison, après avoir rencontré plusieurs arbres indigènes envahis de rosiers sarmenteux dont le préféré est « Toby Tristram ».

Ce jardin est à la fois classique et charmant. On y accède par un escalier double, tapissé d'érigérons *mucronatus*, qui s'appuie sur une niche en rocaille et un bassin. Quatre carrés d'arbustes et de plantes vivaces lui font face. À l'opposé de l'escalier, les angles sont ponctués par deux folies décorées à l'intérieur de motifs de coquillages d'inspiration italienne, travail de Nicole des Forêts et du propriétaire.

Pour relier la maison et le jardin plus sauvage qui se trouve au-delà, et sur les conseils d'un ami anglais, le prince Wolkonsky a conçu un damier d'herbe et de galets. Car on retrouve ces mêmes galets sur la terrasse devant la maison où les plantes partent à l'assaut des murs, forment des dômes à leur pied ou rampent sur le pavage. Ces plantes ont atteint leur maturité, elles se mélangent avec beaucoup de grâce et adoucissent les pierres anciennes de la demeure : dans les roses, bleus et blancs on y trouve des *Ceanothe* (*C. impressus* et *cyanus*), des rosiers, un *Actinidia kolomikta*, une clématite *montana*, des fuchsias, *Raphiolepis delacouri* « Kerdalo » au feuillage persistant et à la floraison rose, *Libertia formosa* avec ses clochettes blanches, des crinums et toutes sortes de plantes charmantes.

Mais revenons aux quatre carrés. Comme point d'appui, le prince Wolkonsky y a installé des arbustes : philadelphus, berberis pourpre, deutzia, abelia. Tout autour se déploient des masses de plantes vivaces : nepetas, anémones du Japon, phlox, echinops, aconits, *Crambe cordifolia*, euphorbes. Les couleurs dominantes sont le rose et le bleu. Le pourpre et le jaune utilisés discrètement relèvent ces couleurs douces. Les plantes au feuillage gris servent de trait d'union : santolines, sauge officinale, absinthe, artémises, *Helichrysum splendidum* assurent les transitions. Au centre des quatre carrés, a été installée une arche recouverte d'un rosier parfaitement adapté à la situation : il s'agit de « Temple Bell ». Ses fleurs, blanches et simples, apparaissent en août. Ses branches souples se plient à toutes les structures.

En sortant du jardin de fleurs, on entre dans une partie plus sauvage plantée d'hydran-

CI-DESSUS
En bas, près du Jaudy, se trouve la grotte. On y accède par un pas japonais constitué de marches posées en diagonale à fleur d'eau. À l'intérieur, des coquillages dessinent des motifs marins. À l'extérieur, tout autour du plan d'eau poussent des plantes qui affectionnent l'humidité : gunneras, pétasites, ligulaires. La rivière se dissimule derrière un mur de bambous mouvants.

géas, d'*Hamamelis mollis* et d'acers. Comme dans toute la Bretagne, des talus qui ont été conservés délimitent les parcelles et permettent de donner à chacune d'elles un caractère différent. C'est ainsi que l'on parvient à un terrain en pente au-dessus d'un étang. Cet espace boisé est planté d'azalées *mollis*, jaunes et saumon, d'embothrium, de télopéa.

À partir de cet étang où flottent des nénuphars, le vallon dont les pentes raides sont boisées devient très étroit. Chaque arbre contient une plante grimpante – schizophragma, rosier, wisteria – et forme un grand dôme d'ombre aux multiples magnolias, camélias, rhododendrons, bananiers, fougères arborescentes.

Un ruisseau descend vers la rivière du Jaudy : il est festonné de primevères du Japon, d'astilbes, de rodgersias, de *Lysichitum camtschatcense* et de ligularias.

Tout en bas, le prince Wolkonsky a construit un nymphée entouré de bambous et de gunnera. On y accède par un pas japonais cerné d'eau. L'intérieur est décoré de coquillages et de représentations marines. C'est un lieu entre le jardin et la rivière que l'on devine derrière les bambous où s'engouffre le vent chargé d'embruns.

Kerdalo est un jardin unique, qui a épousé le site. La nature et la main de l'homme y vivent en parfaite alliance.

À GAUCHE
Le damier de gazon et de galets sert de trait d'union entre la terrasse du haut et le jardin des quatre carrés situé en contrebas. On y accède par un très bel escalier où le prince Wolkonsky a rassemblé des détails architecturaux glanés, carnet en main, au cours de ses nombreux voyages. Les marches se laissent envahir par les érigérons mucronatus qui colonisent le moindre interstice. Dans les carrés, en été, les couleurs sont apportées par des phlox roses, des artémises grises, ou un Berberis pourpre. En jaune, derrière : la fleur à odeur de curry d'un Helychrisum italicum.

CI-DESSOUS
Le sentier qui relie la pièce d'eau au jardin se festonne de primevères candélabres roses, du feuillage charnu des Lysichitum et de fougères. Plus tard, des astilbes prendront le relais. Toutes ces plantes aiment une terre humifère et humide.

Dans la région de Fontainebleau

Le jardin commence dans la rue et tout le monde en profite : les murs de l'ancienne ferme sont palissés d'une vigne très bien menée, de plusieurs rosiers dont le fameux « New Dawn » et d'un chèvrefeuille. À leur pied, des arbustes créent des volumes séduisants : un *Magnolia soulangeana*, un conifère taillé en contrefort végétal, un rosier rugueux, un *Cornus Alba « sibirica »* et un houx panaché se marient gaiement. Et l'ensemble est souligné par des petites haies de buis.

Une fois le porche franchi, on entre dans une cour pavée, fermée, abritée, où la maîtresse de maison a rassemblé une collection de plantes fragiles qui vivent en pot et sont rentrées l'hiver dans la serre : des géraniums odorants citronnés, poivrés, des pittosporums, des fuchsias, des plumbagos et des lauriers-roses *(Nerium oleander)* créent une ambiance méridionale très appréciée les jours de grisaille. Et çà et là, des ifs et des buis sont taillés en contreforts végétaux ou prennent des formes dignes des plus belles réalisations d'art topiaire. Ainsi un cygne est devenu canard : le maître de maison lui offre les soins les plus attentifs et le taille amoureusement.

Puis on pénètre dans le jardin proprement dit en franchissant trois marches encadrées par des piliers trapus d'ifs taillés surmontés d'une boule élégante : avant les grands froids, ces marches, comme à Hidcote, étaient habillées d'un *Cotoneaster microphyllus « Cochleatus »*. Une quinzaine d'années avaient été nécessaires pour obtenir ce résultat raffiné. Il repousse timidement et chacun ici s'arme de patience.

Une grande étendue de pelouse irréprochable s'anime, tout autour, de scènes variées : à gauche, un ensemble de végétaux très architecturés s'ordonnent autour d'une vasque en pierre ancienne. En face, on devine une piscine qui se dissimule derrière des arbustes laissés en liberté et d'énormes masses d'ifs ou de *Thuja Plicata atrovirens* taillés qui revêtent des formes amusantes : des créneaux et des meurtrières recréent une forteresse. Un joli petit massif en broderie de buis est planté d'alyssum annuel qui embaume en été.

À DROITE
Quelques marches très élégantes nous conduisent dans le jardin. Elles sont soulignées d'un Cotoneaster microphyllus « Cochleatus » dont le froid a eu malheureusement raison. De chaque côté, deux piliers d'ifs surmontés de boules annoncent une structure bien affirmée tandis que des plumbago cultivés dans des pots en porcelaine de Chine ajoutent une touche claire et délicate.

Une scène accueillante donne le ton dès l'entrée. Elle est composée d'un Thuya atrovirens taillé, d'un Magnolia soulangeana, d'un Cornus sibirica et d'un houx panaché. Sur les murs grimpent une vigne vierge et une treille qui donne des raisins. Le tout est souligné de haies de buis.

À GAUCHE
De la cour, on embrasse le jardin et l'on perçoit l'harmonieuse union du formel et de l'informel. Un if taillé en topiaire, à gauche, s'appuie sur un rosier rugosa 'Roseraie de L. Haÿ'. À droite, des lauriers roses et un plumbago bleu cultivés en pots sont rentrés en serre froide en hiver. Derrière le mur sont associés un Phyllirea latifolia au feuillage persistant et un grand catalpa. À droite, un Clorodondron trichotonum embaume en août.

À DROITE
Un catalpa offre son ombre à une terrasse confortable. Le jardin est à gauche; il est visible des fenêtres du salon.

À droite, le jardin se ferme sur une plate-bande qui rejoint la maison : et là, sont rassemblés des végétaux intéressants toute l'année car les propriétaires retrouvent leur jardin chaque week-end, et des fenêtres du salon, il faut assurer un spectacle permanent. Une collection de houx, d'osmanthes, d'euonymus, de buis dorés ou panachés crée une structure libre et persistante. Un choisya, un rosier pour son flamboiement automnal (*Rosa nitida*), des lavandes, des santolines, plusieurs sauges, des rues glauques ou panachées (*Ruta graveolens*), des cornouillers pour leur écorce hivernale, toutes ces plantes sont belles été comme hiver.

Derrière la piscine, le jardin prend la forme d'un parc planté d'arbres : une allée serpente à travers une prairie et revient vers le jardin par une jolie sente bordée de bouleaux qui évoquent la Russie. Il s'agit d'un clin d'œil nostalgique lancé au pays d'origine du maître des lieux.

CI-DESSUS
Des bouleaux, semblables à ceux que l'on trouve dans la forêt de Fontainebleau toute proche, jalonnent une promenade qui nous emmène vers une partie plus sauvage du jardin. C'est une évocation de la Russie, en souvenir du pays d'origine du maître des lieux.

À GAUCHE
Des plantations informelles – incluant de la sauge officinale, des sédums, des perovskias, une spirée et un Cornus sibirica panaché – s'opposent aux formes topiaires en if sombre derrière lesquelles se cache la piscine.

C'est un jardin très personnalisé, plein de surprises, parfois purement classique, tantôt résolument fantaisiste, d'une grande originalité, qui a été entièrement façonné par les propriétaires au cours des vingt dernières années. L'album de famille permet d'en retracer toute l'évolution.

La culture de la maîtresse de maison en matière d'art des jardins est étonnante : elle a beaucoup voyagé et connaît les lieux les plus célèbres de France et d'Angleterre. Et surtout, elle a profité des leçons de grands maîtres : son oncle, le vicomte de Noailles, et sa mère, la duchesse de Mouchy. De l'expérience, de la générosité et beaucoup d'humour, voilà en trois mots les composantes de ce jardin.

Ici, on se déplace de scène en scène, on va de surprise en surprise. La variété des thèmes en fait tout le charme. C'est un lieu magique où se marient de façon inattendue des formes classiques et des arrangements menés avec beaucoup de naturel.

Château Gabriel

Yves Saint Laurent, grand couturier, et Pierre Bergé, grand homme d'affaires, artistes dans l'âme, savent apprivoiser l'éphémère. Qu'ont en commun la haute couture et la nature? Sans doute le défilé des saisons et le renouvellement perpétuel de la création. Parfois, l'art des jardins a ses modes, lui aussi, et ses collections. Château Gabriel, tout en s'inspirant de styles divers qui ont fait leurs preuves dans le passé, mélange les genres en les actualisant. De telle sorte que le jardin est à la fois naturel et sophistiqué, ondulant et architecturé, libre et maîtrisé.

Château Gabriel, comme bon nombre de propriétés qui font le charme des environs de Deauville, date de la fin du siècle dernier. Yves Saint Laurent et Pierre Bergé en firent l'acquisition après des années d'abandon. Les travaux commencèrent sur les 32 hectares, dès 1979. Il fallut trois ans pour défricher, nettoyer, abattre les arbres malades, refaire les clôtures et remodeler le terrain.

Le jardin est donc récent puisqu'il a tout juste dépassé l'âge de raison. Mais sa verte jeunesse n'apparaît pas. Car on y a introduit des végétaux d'âge mûr : des arbres par centaines, de trente, quarante ou cinquante ans, furent implantés et donnent aujourd'hui, par endroit, l'aspect d'une forêt qui aurait toujours existé.

Yves Saint Laurent et Pierre Bergé connaissent bien les plantes. Ils ont toujours eu le goût des beaux jardins: Ils avaient en tête des scènes qu'ils souhaitaient voir réalisées : un jardin de curé, une roseraie, beaucoup de lavande, un jardin japonais en souvenir d'un voyage lointain, une prairie avec des fleurs des champs, ou une image de sous-bois. Ils demandèrent au paysagiste Franz Baechler (du cabinet paysagiste Jacques Bédat) d'orchestrer l'ensemble. Parce qu'il les connaît depuis longtemps, Franz Baechler ressent leurs goûts. Ils marchèrent de concert. Pour mettre en œuvre ce projet de grande envergure, ils firent appel aux services de l'entreprise d'Henri Mestrallet, et à la vigilance de monsieur Jean, le chef jardinier. Pour authentifier les lieux, le décorateur Jacques Grange inséra dans le jardin des ornements de style Napoléon III trouvés chez

À GAUCHE
Voici le jardin clos. Organisé comme un jardin de curé, il est planté d'herbacées aux couleurs douces. Les allées rectilignes sont soulignées d'arbres fruitiers. Une pergola relie deux petits pavillons palissés de lianes.

À DROITE
Des statues parmi les fleurs des champs jalonnent la promenade. Celle-ci, Diane chasseresse, fut découverte chez un antiquaire par Yves Saint Laurent. Au fond, on aperçoit le château.

des antiquaires : un pont pour le jardin japonais, un kiosque en fer et en cuivre, une rampe qui monte à la roseraie, une vasque en marbre qui en est le centre.

On entre par une arche gothique en bois qui annonce les colombages du château peints en « vert Deauville ». Elle fut dessinée par Franz Baechler et donne immédiatement le ton. D'un grand raffinement, elle vous plonge d'emblée dans le décor recherché. Elle se prolonge par une voûte de noisetiers dont la naïveté, ou la tendresse, au printemps séduit le premier visiteur. Puis surgit la seconde arche : celle-ci est de pierre, crénelée, vieillie, imposante. Elle est précédée par les Dames de Boulogne, qui sont deux sphinges magnifiques. Et s'ensuit une allée souplement sinueuse qui décrit des méandres à travers des rhododendrons protégés par une forêt de sapins : *Abies nordmanniana* et *A. pinsapo*.

Le château apparaît plus haut. En prélude, une multitude de végétaux persistants crée un décor somptueux quelle que soit la saison : rhododendrons, *Magnolia grandiflora*, houx verts ou panachés, lauriers-tins, bambous, *Viburnum davidii*. Parmi eux fleurit à Noël le camélia « Madame Lourmand », dont les grandes fleurs simples et blanches se détachent sur une toile de fond sombre.

La cour d'arrivée est très sophistiquée. Autour d'un pavage savant s'organisent des plates-bandes encadrées par des banquettes de buis taillé où l'on a rassemblé des buis aux formes maîtrisées et un moutonnement d'azalées persistantes inspiré des jardins japonais. Une allée pavée, bordée par une plate-bande souple « à l'anglaise » dessinée par Louis Benech, monte vers les communs.

À gauche, s'étend la roseraie. Elle est très bien amenée et surprend par son tracé subitement pur et classique et par son horizontalité. Car on y accède par un jeu de dénivelés et d'escaliers qui vous font découvrir des plantes à observer de près. Et tout à coup, apparaît le calme d'un jardin à la française très organisé. Ce tableau précieux peut être admiré directement des fenêtres du salon. Et à gauche, un arrondi encadré de deux *Pyrus salicifolia* « Pendula » surplombe le jardin et le parc, les prés où paissent les chevaux et les daims, Deauville, la mer et la baie du Havre. Tout autour du château, et pour faire chanter la couleur des boiseries, ont été rassemblées des plantes au feuillage gris et glauque et des fleurs bleues : une glycine en arbre, des lavandes, des *Elaeagnus ebbingei*, des cèdres bleus.

En descendant la colline à travers la pelouse, on croise un ruisseau de lavande « Hidcote Blue » que l'on peut suivre du regard à travers le jardin. Cette serpentine décrit une longue vague bleue odorante et dégouline jusqu'en bas, vers la mare, vers la mer. Et l'on arrive au jardin clos. C'est un jardin de curé structuré par des murs, deux pavillons, une pergola, où l'on a inséré quantité de plantes pour la plupart à feuillage gris (*Phlomis fruticosa, Ruta graveolens, Convolvulus cneorum, Stachys,* santolines) qui se mêlent à des molènes, des onopordons, des cardons, des sauges et toutes sortes d'herbes aromatiques. Des poiriers et des pommiers conduits en cordons dessinent un tracé géométrique, et la colline plantée de lavande et de romarin, au nord, sert de contrepoint à la pergola.

Une porte à droite vous attire vers le jardin secret, lieu de villégiature de plantes recherchées qui se plaisent à l'abri des murs : une touche d'exotisme est apportée par la présence des cycas, des palmiers et des daturas cultivés en pots et disposés autour d'un bassin où flottent des nénuphars. En hiver, ils regagnent la serre située près des communs.

On rejoint la serpentine de lavande à un endroit où elle est soulignée par un muret contre lequel s'appuient une foule de plantes parfumées. C'est la « Promenade odorante ». Au milieu des rosiers, des lavandes, se nichent des menthes, des thyms, des serpolets, du muguet, des narcisses et des œillets mignardises.

Cette allée parfumée descend vers le jardin japonais qui est séparé du reste du parc

CI-DESSUS
Pour équilibrer le château, une demeure imposante comme on les construisait à Deauville à la fin du siècle dernier, on a créé une cour d'arrivée spacieuse et aérée. Le paysage est très élaboré. Des bacs spécialement conçus pour Yves Saint Laurent et Pierre Bergé, peints en vert Deauville, contiennent des buis taillés. À droite, et s'approchant ensuite du château, des végétaux très maîtrisés forment un décor permanent très accueillant en hiver. L'ensemble est souligné par une haie stricte.

À DROITE
Une longue plate-bande de plantes herbacées longe une allée de pavés et domine la roseraie. Son tracé classique contraste avec le reste du jardin. De là, la vue embrasse l'ensemble du parc. La mer n'est pas loin.

par une haie de charmilles haute et sinueuse. Une cascade se déverse dans un petit étang où prospèrent des plantes qui aiment vivre les pieds dans l'eau : des astilbes, des primevères du Japon, un *Gunnera manicata* du Brésil. Sur les berges ont été rassemblées des masses d'iris de Louisiane et des *Iris germanica*. Cette scène est glorieuse en mai grâce à la richesse des couleurs chatoyantes et des textures soyeuses. Des petits végétaux nanifiés ou tourmentés à la manière des jardins nippons se dispersent sur la pelouse : érables japonais, *Chamaecyparis obtusa* « Nana Gracilis », un hêtre à feuilles de chêne, et même un cèdre exceptionnel dont la croissance a été contrariée par inadvertance chez un pépiniériste et qui déploie aujourd'hui une ramure et un tronc des plus alambiqués.

Puis on traverse des collections de rhododendrons, d'azalées *mollis* et d'hydrangéas et l'on descend vers le parc. Le naturel ici revient au galop et la prairie parsemée de marguerites, de pavots et de bleuets descend vers un paddock où paissent les chevaux et vers l'enclos des daims. À gauche, avant de rejoindre la porterie gothique, le regard s'enfonce dans une forêt de pins mélangés à des cyprès chauves, des hêtres et des cornouillers

qui, même en hiver, créent des taches de couleurs séduisantes. À droite, le parc s'ouvre sur les plans d'eau calmes et reposants aux contours sinueux où se mire le ciel normand.

C'est un jardin pensé où, pour reprendre les mots de Pierre Bergé, le hasard a joué un rôle infime, même quand la nature a été traitée avec beaucoup de naturel. Les différents jardins du jardin se succèdent harmonieusement et l'on passe de l'un à l'autre comme par enchantement. Le défilé des images et des tableaux ordonnés ou délibérément désordonnés est un divertissement d'esthète auquel s'allient le plaisir des bouquets et la dégustation des fruits du verger à longueur d'année. Château Gabriel est un paradis retrouvé dont profite également Douce, la biche apprivoisée.

CI-DESSOUS
Un serpent de lavande simule un ruisseau. Du château, on peut suivre son cours sinueux qui traverse le jardin. À droite de la demeure, des conifères reconstituent une forêt de Bavière.

PAGES PRÉCÉDENTES
En amont du jardin clos, la colline est plantée de lavandes. La pergola s'orne de clématites et de rosiers grimpants : 'Albertine, Anemonea flora, 'Bobby James', 'Dorothy Perkins', filipes 'Kiftsgate', 'Leverkusen, 'Sowanensee, 'Veilchenblau'. Plus loin, on distingue Deauville, la mer et la baie du Havre.

À GAUCHE
Entre les pierres de Bourgogne se ressèment les plantes ; et la pergola embaume.

À DROITE
Une promenade odorante engazonnée monte vers le château. Des lavandes et des rosiers diffusent leurs délicieux parfums. Une pause s'impose sur ce banc inspiré par ceux du jardin de Claude Monet à Giverny, et peint en vert Deauville.

Domaine de la Rivière

À *GAUCHE*
L'un des côtés de la bordure herbacée au mois de mai. En blanc, le Cerastium tomentosum *au feuillage argenté, et des œillets mignardises (Dianthus 'Mrs. Simkins'). Au deuxième rang, des centaurées montana bleues et le feuillage lancéolé des tradescantias. Puis des lupins; et des roses trémières prometteuses. Au loin, la floraison orangée des azalées. La même bordure se répète en face. En arrière-plan, les bâtiments de la ferme et des écuries à colombages.*

CI-*CONTRE*
Le colombier présenté sur un beau tapis vert au milieu des arbres fruitiers : des pommiers à gauche, des poiriers à droite. Au pied des murs, des Eremurus himalaicus, *des centaurées blanches et toutes sortes d'armoises au feuillage argenté. À droite des iris pallida espèce type. Sur les murs : une jeune glycine et un cystise* battendieri.

En arrivant, les traditionnelles lisses blanches qui cernent les herbages laissent pressentir la présence des chevaux. Puis, disséminées dans la verdure, parmi les haies d'aubépine, apparaissent de multiples petites maisons à colombages, typiquement normandes. Le manoir qui les domine date du XVIIᵉ siècle. C'est une ancienne ferme. Tout autour, des remises où l'on range un matériel de jardinage sophistiqué et remarquablement entretenu, un vieux pressoir où l'on fait encore du cidre et du calvados, un chai qui recèle les meilleurs crus et un vieux colombier forment un petit village. Et à gauche, les anciennes écuries, à la fois sobres et luxueuses, abritent encore quelques chevaux. Dans la cour, une jolie « fumière » ancienne renferme le fumier qui sera le meilleur engrais pour le jardin. Au loin, les pelouses du golf privé atteignent les limites de la forêt. Une serre abrite les plantes qui fleuriront la maison, et les fleurs coupées et les légumes proviennent d'un vaste potager, à proximité. Tous ces beaux éléments donnent à cette propriété un charme infini. C'est la vraie campagne telle qu'on l'imagine dans les rêves et les contes de fées, avec ses haies boccagères, ses arbres fruitiers, ses chaumières, l'odeur acide et sucrée des pommes et ses animaux.

Russell Page y travailla. Et par respect pour la nature, pour rendre son intervention la plus discrète possible, il dégagea simplement le manoir et le fit respirer au milieu de vastes pelouses.

Puis Louis Benech reprit l'ensemble. La main de l'homme se fait sentir près du manoir où se mélangent les fleurs, et dans le jardin du bas dont le tracé formel laisse cependant beaucoup de liberté aux plantes.

Devant le manoir, un terrain de croquet est bordé de deux plates-bandes colorées, jolies en toute saison. L'hiver, on y plante des masses de pensées, de primevères et de pâquerettes. Au printemps, les couleurs sont douces : gris, bleu et blanc. Le feuillage argenté des *Cerastium tomentosum* se constelle de fleurs blanches ; en bleu, les centaurées, les myosotis et les pensées ont pour toile de fond les feuillages verts des plantes vivaces classiques qui fleuriront plus tard ; et entre les touffes, on insère des tulipes blanches. L'été, apparaîtront toutes sortes de géraniums vivaces, des phlox, des lupins, des anémones du Japon, des lis, des achillées, des sauges, des gaura, des *Verbena bonariensis,* des *Rudbeckia nitida,* des delphiniums et quelques rosiers. Pour assurer une présence sans défaillance, le jardinier y ajoute quelques annuelles, choisies parmi les plus élégantes : *Salvia horminum,* cléomes, *Salvia farinacea,* cosmos et ageratums. Toutes les couleurs sont représentées. Aussi ces deux plates-bandes sont-elles très gaies. Et elles siéent parfaitement à ce contexte campagnard noyé dans la verdure, aux vieilles pierres, aux tuiles anciennes et aux poutres de chêne.

Le vieux colombier est lui aussi festonné d'une plate-bande. Assorties aux pigeons-paons blancs, des *Eremurus himalaicus,* des *Lilium candidum,* des *L. regale* et des centaurées blanches accompagnent des plantes au feuillage intéressant, comme des fougères ou des armoises. Sur sa façade mauve, se trouvent un *Abutilon vitifolium,* des aconits, des ancolies, des juliennes-des-dames (*Hesperis matronalis*) ou des nepetas. Les murs sont palissés d'un *Cytisus battandieri* à la floraison jaune et au feuillage argenté, qui a résisté aux grands froids.

Puis on descend quelques marches et on

CI-DESSOUS
La même bordure qu'en page 56 photographiée en août, du même côté. Pour que le fleurissement soit ininterrompu, Louis Benech a mélangé les annuelles et les vivaces. Parmi les annuelles : des ageratums rares 'tall blue' ; à gauche, des cosmos blancs, des cléomes, des mufliers et des roses d'Inde. Parmi les vivaces : des anémones du Japon, des héléniums, des

Rudbeckia nitida et des hélianthus jaunes, des phlox blancs 'Jacqueline Maille', des achillées ptarmica 'La Perle' blanches. Quelques dahlias animent la scène. Cette plate-bande borde le terrain dé croquet.

EN BAS
Un Romneya coulterii au feuillage glauque cache le pied d'une clématite « Hagley hybrid ». Le rosier grimpant est très

certainement 'Pink Cloud', obtention française malgré son nom anglais ; il est très fidèle, très florifère, mais il n'est pas parfumé.

À DROITE
Gros plan sur la 'mixed border' : anémones du Japon, cosmos et tabacs blancs, rose trémière rose pâle, rudbeckias et hélianthus jaunes, et dahlias rouges. À l'arrière-plan, le pigeonnier.

franchit un pont en bois qui a été dessiné par le jardinier, et fabriqué sur place. Qui est-il ? Il orchestre ici les jardins : architecte, jardinier, botaniste, il connaît remarquablement les plantes les plus rares, les aime, les associe, les soigne, les nourrit, et c'est lui qui a conçu le jardin d'en bas.

Ce jardin se situe dans une clairière en contrebas, cernée de grands arbres qui abritent depuis longtemps toutes sortes d'azalées et de rhododendrons. Les propriétaires sont originaires d'Irlande, dont le symbole est le trèfle à trois feuilles. Parce qu'il s'inscrivait mieux dans cet espace, et sans doute pour s'attirer les faveurs de saint Fiacre, le jardinier a choisi le trèfle à quatre feuilles comme emblème du jardin. Et c'est aussi la forme qui apparaît lorsque l'on surplombe l'endroit du haut des marches. Ce jardin est donc formel dans son tracé, mais informel dans ses plantations. Les plates-bandes sont habitées de plantes de sous-bois, ce qui pourrait être paradoxal pour un jardin au tracé géométrique. Mais n'oublions pas que nous sommes dans une clairière. Et, après tout, qui dit clairière, dit sous-bois. Et surtout, nous sommes en présence du style Benech, c'est-à-dire la fantaisie dans l'architecture et l'harmonie dans le paradoxe.

Ce jardin est introduit par deux plates-bandes délimitées par des haies de jeunes charmilles. À gauche, une plate-bande lunaire. À droite, une plate-bande solaire. La lumière lunaire est représentée par les gris, les blancs, le bleu et le noir. Ainsi en blanc, les tradescantias « Osprey », en bleu pâle les campanules « Lactiflora » bleu ciel ou les *Veranica gentianoides*, en noir des iris chrysographes, des fritillaires de Perse (*Fritillaria persica*), des *Viola nigra* et la V. « Molly Sanderson ». Du côté du soleil, on trouve des helenium, des kniphofia, des lis hybrides orange, la *Rosa foetida* bicolore, la rose « Lady Hillington » orangée, et entre autres plantes inhabituelles, un *Cercis canadensis* « Forest Pansy » pourpre, des *Cosmos atrosanguineus* et des crocosmias « solfatare ».

Puis les pelouses décrivent le fameux trèfle à quatre feuilles. Ce jardin a trois ans. Le sol étant neutre, Louis Benech a apporté beaucoup de terreau de feuille pour installer ses plantes acidophiles. La structure végétale de chaque chambre est quasiment identique. Dans chacune, on retouve des rhododendrons, des clethras, des hydrangéas ou des magnolias. Toutes ces plantes fleurissent en été, et plus précisément en juillet et août, à quelques exceptions près, comme certains rhododendrons, les skimmia, les halesia et les *Cornus florida* ou *nuttallii*.

Parmi les hydrangéas, Louis Benech aime H. *arborescens* qui forme des touffes spectaculaires, H. *paniculata*, H. *praecox*, H. *tardiva* ou H. *villosa*. Sa préférence va vers H. *involucrata*

« Hortensis » qui est rose pâle, double, frisotté et charmant. Plusieurs *Clerodendron trichotonum* embaument. Ils ont résisté aux grands froids car Louis Benech a pris soin de les pailler.

Il aime également beaucoup le *Viburnum plicatum* « Summer Snow Flake » qui ressemble au *V. mariesii* par son port souple et qui remonte comme *V. watanabe*. Parmi les magnolias à floraison tardive, il recommande *Magnolia hypoleuca*. Il adore aussi le *Rhododendron viscosum* qui est en fait une azalée, et dont la floraison blanche et tardive embaume. C'est une plante de marais que les Anglais appellent « Swamp Honeysuckle ».

Il s'est amusé à rassembler des plantes indigènes ramassées dans les sous-bois ou sur les talus de la propriété : *Glechoma heredacea*

que l'on appelle le lierre terrestre (« Ground Ivy »), lythrum, saponaires (*Saponaria officinalis*), *Euphorbia amygdaloides*, ou *Sedum thelifolium*. Il utilise même des fraises des bois en couvre-sol.

Pour les parfums, il recommande le clethra aux senteurs sucrées, le *Betula lenta* dont l'odeur des tiges rappelle celle du camphre, le *Nothofagus antartica* dont les feuilles sentent la balsamine, et tout un ensemble de rhododendrons nains aux feuilles aromatiques des sections *Laponicum* et *Glaucophyllum*.

Et dans un coin, il a rassemblé des végétaux à fruits blancs : *Skimmia japonica* « Fructo albo », *Euonymus europeus* « Albus », des sorbiers (*Sorbus hupehensis* et *cashmiriana* obtenus de semis) dont les fruits, blancs au

EN HAUT
Toujours dans le Trèfle : un Hydrangea paniculata « grandiflora » sur un fond de rhododendron pontique, associé au petit feuillage vernissé des azalées pontiques.

CI-DESSUS
Cette association relevée dans le Trèfle met en valeur un Rodgersia sur un fond de fougères (Atrium felix « femina ») précédé de fraisiers des bois.

CI-DESSUS
Jolie association photographiée dans le Trèfle : Verbascum nigrum à gauche, Lilium pyraneiicum obtenu de semis par Louis Benech, euphorbe epimetoides, digitale blanche, sur un fond de Cornus controversa à droite et de Cercydichyllum à gauche.

départ, rosissent. Viennent ensuite *Ilex glabra* et *Callicarpa japonica* « Leucocarpa ».

Que de recherche et de subtilité ! Quel fin connaisseur ! Tout le jardin relève de la même veine. Tout s'accorde, y compris les goûts du propriétaire et ceux du concepteur de ce jardin qui sont des esthètes épris de ce genre de beauté, simple et raffinée. Avec une pointe d'humour, et beaucoup de clins d'œil lancés à la nature.

Le Potager

Près de Fontainebleau, un village patiné par les siècles comme on en trouve encore en Île-de-France : protégé, aimé, il semblerait que le progrès ne l'ait pas encore touché. Un château Henri II, immense. Le clocher d'une église à droite. Le décor est planté.

Vous n'êtes pas encore entré, mais vous devinez que derrière ce porche se cache une merveille puisque dans la ruelle, des hostas et des fougères n'ont pu être plantés que par une main heureuse qui les connaît bien et sait les utiliser.

Entrons. Avec respect et admiration car le silence et la beauté des lieux vous portent vers des sentiments élevés. C'est un « grand jardin », comme on dirait « c'est un grand homme ». Il a été créé par une grande dame disparue aujourd'hui, la duchesse de Mouchy. Son goût et son talent avaient forgé sa célébrité dans le monde des jardins.

Le décor végétal est à la fois sobre et grandiose. Il s'intègre aux lieux chargés d'histoire, se marie remarquablement avec la noblesse des vieilles pierres puisqu'il habille ce qui était jadis le potager du château, clos d'immenses murs. La duchesse de Mouchy était, à l'unanimité, une jardinière hors pair et une architecte douée. Elle avait le sens des grands effets. Elle savait d'un coup d'œil dire ce qui n'allait pas, pourquoi c'était disgracieux, et ce qu'il fallait faire pour retrouver l'harmonie. En un mot, elle avait le sens de la grandeur.

Le Potager est un vaste jardin architecturé divisé en pièces de verdure où l'auteur, à chaque fois, a choisi un thème. Chaque endroit possède ainsi son caractère propre et l'on passe d'une scène à l'autre. Le regard, heureux de tant de diversité, est sans cesse sollicité.

Dès l'entrée, une voûte de robiniers (*Robinia pseudo-acacia* « Bessoniana ») forme une longue pergola. À droite, appuyés sur un mur imposant par sa haute taille, des contreforts végétaux mettent en valeur une immense plate-bande composée de plantes vivaces (acanthes, delphiniums, hémérocalles). À gauche, une petite porte vous dirige vers la maison : sa façade, habillée d'un *Hydrangea petiolaris* et d'une vigne vierge, est soulignée par une rangée

À GAUCHE
Des ifs majestueusement taillés en forme de fleurs de lis rythment le devant de la maison. Ses murs anciens sont palissés de lierre et d'une hydrangéa petiolaris dont les fleurs plates et blanches sont si gracieuses. Cette floraison s'achève et une hydrangéa villosa à

droite prend le relais avec ses fleurs plates et mauves, fines comme de la dentelle. La rigueur des motifs taillés met en valeur la liberté des fleurs.

CI-DESSOUS
En venant du jardin des Simples, et en se dirigeant vers la pièce d'eau, on longe un jardin architecturé qui sert de palier entre les différents niveaux. On aperçoit au fond le château de style Henri II.

d'ifs majestueux taillés en fleur de lis. Et une vaste pelouse vous fait découvrir ce que la duchesse de Mouchy appelait son confessionnal : il s'agit d'une petite construction avec un toit, une fenêtre et une porte, taillée dans un végétal qui se prête à cette forme d'art topiaire : le *Thuja lobbii* ou *T. plicata* « Atrovirens. »

Si l'on poursuit vers l'extrémité de la maison, on entre dans une pièce à ciel ouvert où trône un arbre rare : un *Albizzia julibrissin*. En été, il se pare de fleurs roses en aigrette très légères. Il n'aime pas le froid et a souffert des derniers hivers rigoureux. Bien qu'appartenant à la variété la plus rustique, il préférerait un climat plus doux. Et près du mur, on reconnaît le fameux rosier « Aloha », dont la maîtresse des lieux ne cessait de louer les mérites tant il est florifère, parfumé et vigoureux. On le retrouve d'ailleurs dans de nombreux jardins où la duchesse de Mouchy a semé ses conseils.

Puis on découvre le jardin de Simples. Introduit par un motif en feston d'ifs taillés, il forme un ensemble géométrique ; les herbes sont plantées en liberté : sauge officinale, œillets mignardises, alysse annuel, lavande, tanaisie offrent leurs senteurs et leurs couleurs.

On descend ensuite vers un jardin en contrebas, et là, comme à Versailles où la cathédrale Saint-Louis domine le Potager du Roy; le château et les clochers prennent toute leur valeur. Un jardin pourrait être écrasé par un décor si riche. Ici, il n'en est rien, car le végétal équilibre et contrebalance la présence des pierres alentour. L'architecture du jardin est si forte qu'elle peut lutter avec celle des monuments environnants tout en la complétant : des masses sombres d'ifs taillés en pointe de diamant s'imposent le long d'une allée qui, vers la droite, mène à une orangerie très élégante. À ses pieds s'étend un jardin de fleurs à couper introduit par une haie-tapisserie composée de buis, de houx, de pyracanthas, de cotonéasters et de berberis, et par une porte de verdure faite de deux piliers de buis surmontés d'une boule.

Revenons vers le château. À droite, la promenade descend vers une pièce d'eau bordée d'arbres pluricentenaires, et en face, une sculpture en trompe l'œil représente un satyre que l'on sort dès les premiers beaux jours. Si l'on remonte vers la maison, on traverse une pelouse bordée de dahlias « Marie-José » que la duchesse de Mouchy affectionnait particulièrement car ils fleurissent longtemps et sont très fidèles. Puis on entre dans le jardin Persan dessiné par la comtesse de Béhague, qui habitait le château au début du XXe siècle : le sol est incrusté d'une mosaïque de porphyre et de marbre, reconstituée d'après un document persan ancien, et planté de plusieurs *Magnolia grandiflora*. Mais le froid les a endommagés et certains sujets ont été, depuis, remplacés.

À GAUCHE
Le jardin des Simples est entouré d'un motif d'ifs taillés en feston. À l'intérieur, la duchesse de Mouchy rassembla des plantes aux fleurs ou au feuillage parfumé, également utiles pour leurs vertus dans un camaïeu gris-vert. Au premier plan, une sauge au feuillage veiné de pourpre et, à gauche, un pied de tanaisie aux fleurs jaunes. Au centre, s'étend un tapis

d'œillets miniardises. Plus loin on aperçoit des dômes de santolines grises, et derrière la haie d'ifs, le fameux « confessionnal ».

CI-DESSOUS
Partout les formes taillées stabilisent l'architecture du jardin : ici, un choisia ternata et un buis semblent renforcer un mur comme des contreforts. Une touche orangée inattendue est apportée par une bignone.

CI-DESSOUS
*Devant l'orangerie, s'étend
le jardin des fleurs à couper.
On y entre après avoir
franchi une haie-tapisserie
(au premier plan) composée
de diverses essences : de
gauche à droite, prunus,
buis et cotoneaster pourpre.*

CI-DESSOUS
*Gros plan sur des eucomis
cultivés dans le jardin des
fleurs à couper.*

Enfin, le jardin de Saint-Antoine invite à la méditation : entouré de haies, il forme une petite pièce intime, et un banc encadré de charmilles magistralement menées et taillées invite à une pause. La boucle se referme sur le jardin de Simples.

La duchesse de Mouchy fit ici preuve d'une grande imagination, tout en s'adaptant aux données. Le vicomte de Noailles, son beau-frère, la conseilla, ainsi que monsieur Mogens Tvede, un cousin danois, architecte et paysagiste. Puis ses propres goûts et son talent s'affirmèrent. Elle commença cette œuvre en 1950 et profita de la beauté des lieux pendant plus de trente ans. À sa mort, en mars 1983, le jardin connut une période d'abandon. Mais depuis quelques années, il a été repris par monsieur et madame Behrens, des amis de sa famille, qui ont su redonner vie à la propriété. Le jardin est remarquablement entretenu, et fidèle aux goûts de son créateur. Mais peut-on vraiment être fidèle au passé ? Inévitablement, un jardin évolue, les végétaux se développent et tout change. L'esprit subsiste ici, à moins que ce ne soit une âme.

CI-DESSUS
*Au fond du jardin, une
grille ouvre sur le château.
Et là, en juillet, un
savonnier (Koelreuteria
paniculata) offre sa
floraison jaune pâle.*

Les Trois Pommes

Il a un caractère bien trempé, un charme indicible, beaucoup d'élégance, de l'humour, il est à la fois sobre et fort ; ainsi se présente le jardin du baron et de la baronne de Cabrol. Son nom, les Trois Pommes, sonne bien ; il le doit aux trois pommiers qui existaient à l'origine et aux trois enfants de nos hôtes. Il est né dans les années cinquante, a grandi, s'est affirmé au fil des jours et des rencontres. Il est arrivé aujourd'hui à maturité et forme un ensemble harmonieux et cohérent.

En 1949, monsieur et madame de Cabrol achetèrent en Île-de-France, près de Montfort-L'Amaury, une vieille ferme qui datait du XVIIIe siècle, et qui se prolongeait par une grange vétuste. La ferme fut transformée en maison d'habitation, et la grange devint un vaste salon dont les portes-fenêtres s'ouvrent sur le jardin. Ainsi, de cette pièce qui avance dans la verdure, on peut embrasser l'ensemble de l'enclos : d'un côté la cour fermée près de l'entrée, de l'autre le jardin qui s'ouvre sur la campagne et, au centre, un espace fleuri sur deux niveaux qui sert de transition entre les deux parties.

Toute l'originalité de l'endroit provient de la présence de ces contreforts végétaux qui relient la maison au jardin. L'architecture des pierres se prolonge par une architecture de verdure remarquablement construite. Ces formes taillées donnent une unité à l'ensemble et font ressortir, par contraste, le foisonnement des plantations. La rigueur s'oppose à la souplesse, le vert sombre des masses végétales maîtrisées s'oppose aux couleurs douces des fleurs. Et un joli tapis vert les unit.

Comment le baron et la baronne de Cabrol sont-ils arrivés à cette perfection ? Au début, ils avouent avoir tâtonné, hésité. Puis, ils devinrent membres de l'association des Amateurs de jardins, et visitèrent les plus beaux jardins d'Angleterre, d'Irlande, d'Écosse et d'Italie. Très liés au vicomte de Noailles, à la duchesse de Mouchy et à la princesse de Chimay, ils glanèrent auprès de ces esthètes quelques conseils. Ils apprirent ainsi à bannir les couleurs fortes comme le rouge et l'orangé. Un autre principe leur fut inculqué : dans un

CI-CONTRE
Une porte de charmille qu'il faut tailler, et qu'on a du mal à maîtriser, fait la transition entre le jardin et le champ de céréales. Elle est perçue des fenêtres du salon. À gauche, un if taillé en cône annonce le jardin de fleurs serti par des haies de santolines grises.

CI-CONTRE
Jeu de courbes et de taille. À travers l'arche de charmille qui se ferme d'un petit portillon, on devine le jardin de fleurs, ses ifs taillés en cônes et ses bordures de santolines.

À DROITE
Les contreforts végétaux conseillés par Jacqueline de Chimay habillent la façade et adoucissent les angles. À gauche, au fond, un pyracantha très travaillé épouse les ouvertures d'une grange. Sa rigueur tranche avec l'aspect jovial d'un pommier : l'un de ceux qui forgea le nom de la propriété.

jardin, comme dans la vie en général, il faut essayer d'arrondir les angles ! D'où la présence de ces ifs taillés comme des sentinelles qui encadrent l'ancienne grange. On les retrouve de part et d'autre de la porte d'entrée, d'un petit escalier et au coin d'un jardin de fleurs très structuré, où ils sont reliés par une bordure de santolines grises taillées.

Monsieur et madame de Cabrol ont appliqué avec succès les conseils donnés par Jacqueline de Chimay dans son livre *Plaisirs des jardins* : « Vous pouvez épauler de buis taillés un escalier démuni de rampes, découper en portiques des ifs ou des fusains pour donner du relief à une porte [...] » De même, pour les couleurs, voici ce qu'elle préfère : « Ne craignez pas la luxuriance des couleurs, mais n'exagérez

CI-DESSUS
Le jardin de fleurs est inspiré des anciens potagers. Les sculptures et l'architecture végétales contrastent avec l'apparent désordre des fleurs ; au premier plan, digitales blanches à gauche, et ancolies (Aquilegia chrysantha) jaune pâle. Derrière, des delphiniums et des lupins. Plus loin, des roses et des sauges superbes (Salvia superba) bleues.

pas dans ce sens [...] Usez des gris et des mauves qui adoucissent les rapports de tons, et des verts foncés qui les font ressortir [...] Souvenez-vous que les fleurs de couleur pâle sont les seules à refléter la clarté lunaire, et partant, les seules visibles la nuit. Ce sont également les plus odorantes. »

En entrant dans la cour, on est saisi par l'ambiance qui se dégage du jardin : de toute évidence, il est aimé et choyé par des propriétaires qui ont un goût sûr. La porte se referme toute seule ! Voilà une astuce bien commode ! La vigne vierge qui la palisse l'oblige, par son poids, et par ses lianes qui servent de charnière, à se refermer. À gauche, le garage est palissé de pyracanthas taillés et découpés à l'endroit des ouvertures. En haut, les bois d'un cerf se

coiffent d'une perruque de pyracantha. Encore une note d'humour! À droite, sur les murs de la maison, on a palissé un *Cotoneaster horizontalis* qui, de lui-même, a décidé d'auréoler la porte! Une vieille treille, une glycine, un jasmin d'hiver (*Jasminum nudiflorum*) et le rosier « Aloha » partent à l'assaut de la façade.

Puis, par un petit escalier qui jouxte une rocaille où abondent les bulbes de printemps, on change de niveau et on entre dans une partie du jardin qui s'ouvre sur un champ de blé. Et là, une immense porte de charmille (que l'on a de plus en plus de difficulté à maîtriser) trône au beau milieu d'une haie champêtre. Elle est située dans le prolongement de l'une des portes-fenêtres du salon : tout est très étudié. Enfin, on découvre un jardin de fleurs qui

CI-DESSUS
À travers le jardin de fleurs et ses jolies touches de couleur, on aperçoit la maison et l'une des fenêtres du salon, le verger, une plate-bande où se mélangent plantes vivaces et arbustes et, au loin, les toits des maisons du village. Le mélange de formalisme et de liberté est très bien équilibré.

rappelle dans son tracé les potagers traditionnels. À l'intérieur, s'épanouissent de belles masses de plantes vivaces : sauges, campanules, lupins bleu pâle, delphiniums, digitales blanches, coréopsis, sédums, rosiers (*Rosa Nutkana* « Plena », syn. *R. californica* « Plena »), géraniums vivaces, *Phlomis samia*, pavots, pivoines et asters déploient leurs couleurs douces.

Les plantations évoluent comme les goûts, mais la structure reste fidèle à elle-même. Les fleurs sont éphémères, mais les formes taillées dans des végétaux persistants (*Lonicera nitida*, petits conifères nains ou buis) sont immuables et assurent une certaine pérennité, une continuité rassurante par sa stabilité.

71

En Île-de-France

À GAUCHE
À la structure rigoureuse de haies en cyprès de Lawson et de pavés moussus, s'oppose le foisonnement des plantations. Le jardin bleu rosit à l'automne avec des asters au premier plan, des dahlias à têtes rondes, des eupatoires purpurea à gauche, une remontée de delphiniums et un rosier Chinensis mutabilis tout au fond.

À DROITE
L'allée centrale traverse les trois pièces de verdure et aboutit à un banc en teck dessiné par Lutyens. Au premier plan, un tapis de serpolet et des arums blancs (Zantedeschia aethiopica). Dans la roseraie, en face des digitales blanches, 'Fantin Latour' assouplit les haies; à gauche de l'autre côté, 'Tuscany superb' déploie ses fleurs d'un rouge profond.

Étrange : qui croirait qu'un éden se cache entre une zone industrielle et un lotissement ? Dieu merci, Versailles n'est pas loin, le clocher du petit village non plus, et une oasis de verdure, comme une enclave de la campagne dans la cité, a été sauvegardée. Le jardin se niche là et profite du calme d'un champ de blé et de la fraîcheur d'une parcelle de forêt. D'abord sylvestre, puis davantage maîtrisé, il révèle mille richesses.

Ce jardin ne porte pas de nom, mais il a beaucoup de personnalité : celle de son créateur. Voilà près de vingt ans qu'il y travaille comme on façonnerait une œuvre d'art, un tableau ou un divertissement musical, avec passion, avec aisance, avec talent, comme un pianiste qui posséderait une technique solide et laisserait s'exprimer son génie et sa fantaisie.

Il acheta, voilà une vingtaine d'années un grand terrain, et choisit de construire tout en haut une maison résolument moderne. Elle vous accueille au bout d'un sentier plat et domine un sous-bois abrupt qui était à l'origine une jungle. Il fallut défricher, se battre contre les ronces, dégager les fûts des arbres, les respecter et les mettre en valeur car ces chênes et ces châtaigniers étaient beaux. L'idée d'un jardin naquit. Le maître des lieux, d'origine américaine, se remémora les leçons de son père : la famille possédait une centaine d'hectares en Nouvelle-Angleterre. Sur les pentes, son père avait créé un jardin sauvage. Que peut-on faire d'autre sur un terrain accidenté, à moins d'y construire des terrasses et de les orner de statues ? Mais son cœur n'allait pas vers l'Italie. Sur le plat, son père avait dessiné un jardin de fleurs. Il s'en souvint.

Une analyse du sol en contrebas de la maison détermina son acidité. Il y planterait donc des rhododendrons, des camélias car ils supportent bien le climat de l'Île-de-France, surtout les Camellia williamsii, des Pieris, des cornus merveilleux (Cornus florida « Rubra », C. kousa), des magnolias et beaucoup de plantes de sous-bois, des milliers de bulbes, des fougères qui poussent spontanément, se décomposent et fortifient le sol, des sceaux-de-Salomon (Polygonatum) et des primevères. Il installa donc des petits rhododendrons qui se sont tant plus dans ce terrain qu'ils sont aujourd'hui devenus des dômes : des rhododendrons botaniques qu'il acheta parfois en Écosse, des azaléodendrons, des hybrides comme R. gomer « Waterer » dont les tons délicats et lumineux éclairent les frondaisons.

Un chemin serpente et descend de la maison, longe une mare où se noie un rosier sauvage non identifié. Car dans cette partie du jardin, les plantes vivent en liberté. Et notamment les rosiers : les rosiers sarmenteux sont traités en buissons hirsutes et prennent la forme qu'ils veulent, les rosiers grimpants s'appuient sur les arbustes. Subitement, une rose pourpre et double surgit d'un rhododendron blanc. Jamais on n'oserait de telles associations dans une plate-bande. Mais ici, tout est permis, tout s'harmonise avec tout tant le vert domine en toile de fond.

Mais vers quoi descend-on ainsi ? On s'attend à quelque chose. À une apparition miraculeuse. Sur le plat, on discerne une haie, une structure, un jardin architecturé. On est attiré, happé, aimanté. Trois petites pièces de verdure en enfilade servent de transition : l'une est émaillée de plantes en pots, la deuxième est une rocaille où s'épanouissent des plantes alpines; la dernière, avec ses haies de hêtres, décrit un carré dans lequel s'inscrit un cercle de

buis avec pour centre un bassin rond en pierres anciennes. Le thème de couleur est pourpre. Là encore s'exprime l'audace du créateur : il a mélangé un berberis pourpre, un rhododendron pontique mauve, un azaléodendron aux jeunes pousses pourprées et aux fleurs blanches lavées de rose sublime, et le rosier jaune abricot chamois « Buff Beauty ». L'*Acaena* recouvre le fond du bassin, la menthe *requienii* tapissante déborde sur le pourtour, se ressème, envahit et parfume l'ensemble. L'ombre fait chanter les couleurs et la beauté de cette scène oblige le visiteur à faire une pause.

De là, on passe dans un couloir de verdure : une percée dans la haie laisse entrevoir un bleu céleste. Voici le jardin de fleurs, au tracé géométrique et rigoureux. À l'intérieur, les plantes sont libres. Au jardin bleu, succède un jardin blanc, suivi d'un jardin rose-mauve. Avec des fausses notes, des dissonances, des accidents de couleurs çà et là, choisis délibérément, avec une grande fantaisie. En juin, les rois du jardin bleu sont les delphiniums. Quelle abondance ! Contrastant avec cette multitude de hampes verticales, des masses rondes de géraniums « Johnson's Blue » calment l'ensemble. Et tous ces bleus sont rehaussés par une erreur volontaire : le jaune d'un *Thalictrum glaucum* ou de l'*Alchemilla mollis*. En septembre, les asters prennent le relais : les *Aster*

En automne, le jardin d'été surgit tout à coup à travers les ramures des bouleaux. L'architecture végétale bien affirmée, constituée de haies, contraste en tous points avec le jardin de sous-bois.

frikartii « Mönch », puis les *A. novi-belgii* « Professeur Kippenberg » accompagnent un buddleia, des aconits ou un *hibiscus syriacus* « Oiseau bleu ». L'automne et ses couleurs flamboyantes semblent ne pas atteindre cette partie du jardin. Ici, l'été s'éternise car les haies aux alentours restent bien vertes, d'un vert qui rappelle le printemps, celui des cyprès de Lawson (*Chamaecyparis lawsoniana* « Green Hedger ») utilisés en toile de fond.

Puis on entre dans le jardin blanc. Seules quelques boules de buis en rythment le tracé. Pivoines herbacées, crambe, lupins, hydrangéas, *Malva alba, Lychnis coronaria,* phlox, asters, arthémises, valérianes *(Centranthus*

albus) et achillées se marient harmonieusement, dominées par deux *Cornus alba* très élégants.

Le jardin rose-mauve est compartimenté par des petites haies de buis qui dessinent un damier de plates-bandes. À l'intérieur de chaque carré se mêlent des plantes vivaces et des rosiers : roses anciennes, roses modernes, roses anglaises de David Austin, toutes ces roses sont ici appréciées sans idée préconçue, sans préjugé. Elles sont choisies pour leur beauté, leur parfum, leur générosité, leur santé. « Fantin-Latour » trône devant le banc en teck dessiné par Lutyens, « Reine des violettes », « Belle de Crécy », « Magenta », « Tuscany Superb » se

75

À GAUCHE
L'allée principale part de la maison et serpente vers un étang avant d'arriver au jardin de fleurs. Au départ, le bois a été éclairci et nettoyé. Puis on a créé des grandes poches de terre fertile pour y installer des rhododendrons, des cornus et des camélias.

CI-DESSOUS
Au printemps, dans le jardin sauvage, les cornus sont somptueux : au centre un Cornus florida *« rubra » ; à droite, le même dans sa forme blanche. À leurs pieds, un rhododendron* rubigineum *dont la floraison bleue est passée.*

À GAUCHE
La rocaille au printemps : on la découvre dans le labyrinthe de haie du jardin de fleurs. Mille et une plantes se nichent entre les pierres. Au centre, une aubriète bleue. Devant, à cheval sur les pavés, des œillets des Alpes très odorants et des Phlox douglasii des montagnes Rocheuses. Des anémones blanda blanches constellent la scène.

CI-DESSOUS
Tout l'art du créateur réside là : il a su créer de grands effets à la fois et des scènes charmantes de détails. Il a installé des plantes entre les insterstices des pavés, et puis par la suite elles se sont ressemées au hasard : Alchemilla mollis, primevères, acaulis, pulsatille vulgaris, muscaris blancs se plaisent entre les mousses. Derrière, des asters en quantité fleuriront plus tard.

Une perspective prise du
banc dessiné par Lutyens
permet d'embrasser
l'enfilade des trois pièces de
verdure qui ont chacune
leur thème de couleur :
d'abord la roseraie
rose-mauve, puis le jardin
blanc et enfin le jardin bleu
avec tous ses delphiniums.
Au fond, une porte
légèrement décalée ouvre sur
le petit pavillon où sont
rangés tous les outils de
jardinage.

Jolie association de rosiers et
de plantes vivaces : ici, une
campanule glomerate bleu
foncé se mêle aux roses
délicates de l'arbuste 'Cecile
Brunner' qui remonte tout
le temps et dont les fleurs
sont parfumées.

*Abondance de plantes
vivaces au printemps, vers le
20 juin, dans le jardin
bleu :* campanules
glomerata, *delphiniums,*
géranium magnificum, *iris
de Keampferi. Et toujours
une fantaisie, comme une
fausse note délibérément
introduite, comme une
dissonance dans l'harmonie
des couleurs, avec
l'*Alchemilla mollis, telle
une intruse dans cette pièce
vouée au bleu.*

*Dans le jardin blanc, les
hampes verticales des lupins
s'opposent au port plus
horizontal d'un cornus.*

mêlent aux nepetas, au *Stachys macrantha*, aux *Geranium armenum, platypetalum, endressii* et, en septembre, au *Sedum* « Autumn Joy ».

Le jardin d'été est un jardin clos. Les haies qui en dessinent le pourtour sont variées : hêtres verts, hêtres pourpres, charmilles, cyprès, ifs se succèdent et parfois même se superposent. Les différences de couleurs, de textures divertissent et amusent le regard. Sans cesse, le promeneur change de niveau, descend ou monte une marche, passe d'une pièce à une autre. Parfois les séparations sont transparentes : ce sont de simples treillages qui divisent sans enfermer et sur lesquels grimpent des clématites comme la blanche « Madame Lecoultre », la plus spectaculaire.

C'est un jardin plein d'enseignement qui impressionne. Sa structure est très cohérente. Les plantes sont traitées de telle façon que l'intervention de l'homme et celle de la nature se confondent. L'esthète semble avoir imité le naturel ; à moins que certaines scènes ne soient que le fruit du hasard comme ce *Geranium endressii* qui se faufile entre les lattes du banc en teck et qui s'est installé là tout seul ; comme ces petites pensées blanches qui se sont ressemées dans la mousse vert tendre qui relie les pavés. C'est un jardin que l'on aimerait contempler très longtemps...

La Celle-
Les-Bordes

À GAUCHE

À gauche du grand tapis vert, le jardin monte vers un sous-bois. Au niveau de la pelouse, et pour rythmer le muret qui fait toute la longueur du jardin, Gilles de Brissac a installé des petits bancs en buis. Ces contreforts végétaux contrastent avec le foisonnement des plantes vivaces : elles sont basses près de la pelouse (saxifrages, géraniums vivaces, Cerastium tomentosum) ; puis elles s'élèvent (delphiniums, hémérocalles) et se mélangent à des arbustes au niveau le plus haut.

À DROITE

En sortant du salon, le regard embrasse la vaste pelouse qui fut le point de départ du jardin. Des sculptures végétales torsadées cultivées en pot ponctuent les angles de deux parterres où sont cultivés des rosiers. À gauche, on aperçoit les contreforts en buis qui marquent le début du jardin de sous-bois. À droite, apparaissent les charmilles dont les ouvertures ménagent une vue sur la campagne.

PAGE SUIVANTE , À GAUCHE

Le jardin de sous-bois s'enfonce dans la forêt de Rambouillet. Plusieurs sentiers montent et sinuent à travers les bouleaux, dont la ramure légère filtre la lumière. C'est une situation rêvée pour les azalées, les rhododendrons et les cornus.

PAGE SUIVANTE , À DROITE

Au fond du jardin, à l'ombre des grands arbres une haie crénelée sert de toile de fond à des azalées et à des rhododendrons qui forment aujourd'hui des dômes immenses.

Un tapis de gazon parfaitement plan s'étend au pied du château Henri IV où logeaient, jadis, les piqueurs de l'équipage de chasse de la duchesse d'Uzès qui découplait au cerf, en forêt de Rambouillet. Gilles de Brissac, son arrière-petit-fils, a conçu un jardin autour de cette pelouse, à la demande de ses parents, le duc et la duchesse de Brissac.

Durant son jeune âge, Gilles fut à bonne école. Ses grands-parents maternels, monsieur et madame Eugène Schneider, avaient la passion des jardins, des parcs et des forêts. Ils avaient créé, à Saint-Cloud, une roseraie autour d'une demeure accueillante où vécut Gilles de Brissac jusqu'à l'âge de huit ans.

La guerre terminée, il passa le plus clair de ses vacances en Angleterre ; il y fut charmé par les villages ruraux, le désordre voulu des bordures de plantes vivaces et les gazons tondus ras. De retour en France, il conseilla à sa mère de créer à La Celle-Les-Bordes une pelouse d'un seul tenant, jusqu'à la façade est du château.

Ainsi commence l'histoire de l'actuel jardin. Les lieux étaient à l'abandon car, du temps de la duchesse d'Uzès, les cent vingt chiens de sa meute s'y ébattaient en toute liberté.

Autour de ce tapis vert, un jardin prit naissance. Guidé dans ses premiers pas par Charles de Noailles et Jacqueline de Chimay, Gilles de Brissac courut là son galop d'essai.

CI-CONTRE
*Cette vue est prise en
bordure du jardin de
sous-bois, là où les plantes
vivaces (lupins,
delphiniums) se mélangent à
des rosiers (à droite, en
rose : 'Milrose'). Au-delà de
la pelouse, les maisons du
village s'ordonnent derrière
la haie de charmille.*

À DROITE
*En contrebas des haies de
charmille et derrière la haie
d'ifs qui reprend un motif
de la Renaissance, se cache
la piscine. Devant, s'étend
un jardin au tracé
géométrique délimité par des
haies de buis. Sur le mur à
gauche, et entre les pierres,
se sont installées des plantes
qui aiment la chaleur et le
soleil : lavandes, santolines,
iris, valérianes.*

Ainsi s'offre à nous le plaisir d'un jardin français aux lignes classiques et d'un jardin anglais dans sa libre diversité.

Sortant des salons du château (qui portent aux plafonds et sur les murs deux mille quatre cents bois de cerf), on accède à cette vaste pelouse tondue en bandes régulières. Dès l'abord, la vue s'étend sur les frondaisons lointaines de la forêt puis s'arrête sur le pourtour du jardin.

Voici, à foison, des rhododendrons et des azalées du Japon (« Hinodegiri » rouges, « Hinomanyo » roses) que séparent des tulipes à fleurs de lis (« White Triumphator », « China Pink »), elles-mêmes parsemées de myosotis ou de pâquerettes, car La Celle-Les-Bordes est avant tout un jardin de printemps.

Au fond de la pelouse, sur un terre-plein, des buis à bordures en boules, selon la mode américaine, entourent un bassin de pierre d'où jaillit un jet d'eau par la gueule d'un dauphin tenu dans les bras d'un enfant.

À gauche, le jardin monte et s'enfonce dans la colline boisée : c'est la partie la plus sauvage où il semble que la nature se soit à peine laissée domestiquer. Les conifères et les houx forment une toile de fond d'un vert sombre sur laquelle se détachent les lignes verticales argentées des bouleaux. Azalées *mollis* et *occidentalis,* andromèdes, camélias, magnolias à feuilles caduques, cornouillers et genêts s'étagent sur les degrés de la pente.

Revenons sur la pelouse bordée au nord par un muret de pierres sèches : là, s'épanouissent des plantes vivaces aux teintes pastel (géraniums, campanules, hémérocalles, thalictrums). À intervalles réguliers, des buis taillés en contreforts prennent appui sur le muret même. C'est une idée de la princesse de Chimay qui avait conseillé des *Chamaecerasus nitida ;* mais ce végétal nécessite des tailles trop fréquentes et il est, de surcroît, gélif. Aussi, Gilles de Brissac lui préféra-t-il le buis.

Enfin, des plantes de rocaille agrémentent le muret sur toute la longueur : cerastium, aubriète, corbeille-d'or, iberis, santolines, etc.

Sur le bord opposé, donnant au sud de la pelouse, le regard atteint une haie de charmilles où des ouvertures en forme de fenêtres ont été percées, offrant une vue sur le village et la campagne environnante. Gilles de Brissac s'est inspiré là de croquis anciens figurant une salle de verdure au Grand Trianon de Versailles du temps de Louis XIV, dite « palissade à la Trianon ».

Par un jeu de taille savant et un effet d'optique étudié, cette haie qui semble hermétique s'ouvre à la transparence. À ses pieds, des bordures de buis encadrent des massifs réguliers de rosiers floribunda « Joseph Guy ».

Derrière la charmille, en contrebas, une piscine fut aménagée en 1960 et profite d'un excellent ensoleillement. Du jardin, rien ne laisse deviner sa présence.

Sur un de ses côtés, un mur élevé s'égaie de plantes méridionales (romarins rampants, thyms, lavandes) qui croissent entre ses pierres. Un conifère nain tapissant, peu ordinaire, le *Juniperus procumbens* « Nana », retient aussi l'attention.

En équerre, une haie d'ifs taillés s'inspire d'un jardin italien de la Renaissance. Un motif en surépaisseur lui donne du relief.

Dans ce site protégé des Yvelines, Gilles de Brissac a su concilier son goût pour une nature tantôt libre, tantôt maîtrisée. À qui veut un jardin, une longue patience est nécessaire ; celui de La Celle-Les-Bordes en est un bel exemple.

Une touche anglaise

L'art des jardins anglais a franchi la Manche et des
créateurs renommés ont signé de leur griffe des
compositions remarquables. Miss Lloyd Jones et Russell
Page à Pontrancart, Lutyens et Miss Jejyll aux Moutiers,
Penelope Hobhouse à Royaumont. La simplicité des
cottage-gardens, le charme des villages anglais,
Sissinghurst et Sheffield Park ont séduit Gilles de Brissac
qui a créé dans son jardin d'Apremont des scènes très
britanniques. Dans ces lieux où se dessine une
architecture qui sert de cadre au tableau, les plantes se
mélangent avec une négligence feinte et rappellent les
plus célèbres *mixed borders* anglaises. Tout l'art consiste à
savoir marier les couleurs et les textures en échelonnant
les floraisons : et pour cela, une connaissance parfaite des
plantes est indispensable.
À Pontrancart, les plates-bandes sont composées dans la
plus pure tradition britannique. Avec une variante. Toutes
les fleurs doivent se plier au même impératif : être à leur
apogée à la fin de l'été. Les plantes vivaces (valérianes,
sédums, delphiniums) se mélangent à des annuelles
(escholtzias, cosmos) et à des arbustes (buddleia) placés à
l'arrière-plan. Étagées et utilisées en masses, ces plantes
aux couleurs gaies et variées sont arrangées fidèlement
aux principes des *mixed borders* anglaises.

Apremont

À GAUCHE
Une plate-bande de plantes vivaces est adossées à une haie de charmilles qui est un véritable divertissement végétal. Les formes crénelées de cette haie taillée laissent apparaître le pont chinois, réminiscence des grands jardins du XVIIIᵉ siècle.

Un jardin dans un village, cela se conçoit, mais un village dans un jardin, voilà qui sort de l'ordinaire. C'est pourtant ce qu'a réalisé Gilles de Brissac, dans le Berry : un jardin privé, ouvert au public, en plein bourg d'Apremont.

L'histoire commence au début des années trente, lorsque Eugène Schneider, troisième de la dynastie des maîtres des Forges du Creusot et grand-père maternel de Gilles de Brissac, rachète une à une les maisons du « pays »... Une partie seulement date du Moyen Âge, des XVIIᵉ et XVIIIᵉ siècles ; le reste manque d'unité.

Eugène Schneider, dont l'architecture est le violon d'Ingres, rase ce qui n'est pas à son goût et rebâtit en style médiéval berrichon, conseillé par l'architecte De Galea.

Quatre décennies plus tard, le destin place entre les mains de son petit-fils ce village d'opérette, aux toits de tuiles brunes, aux façades sculptées dans la pierre de taille, couleur de pêche d'Italie, extraite sur place des carrières locales. Il manque cependant quelque chose à ce décor : un complément végétal.

De ses séjours d'enfance en Angleterre, Gilles de Brissac a gardé en mémoire les chaumières du Kent ou des Cotswolds, enfouies sous les chèvrefeuilles, les roses, les clématites et ourlées d'iris, de lavandes et de roses trémières. Pourquoi ne pas transposer cela en Apremont et inclure dans le futur jardin un groupe entier de maisons qui existent là ?

À DROITE
Cette large plate-bande est inspirée des cottage gardens anglais. On y retrouve des plantes traditionnelles utilisées en masses, aux coloris gais : pivoines, pavots, campanules, iris, lupins, géraniums vivaces s'harmonisent avec les maisons villageoises de l'arrière-plan.

PAGES SUIVANTES
La pergola forme un long tunnel romantique. Les belles grappes des glycines laissent entrevoir les fleurs roses des cercis que l'on y a intercalés. De part et d'autre, des touffes de plantes vivaces (campanules, hémérocalles), d'iris et d'annuelles odorantes (giroflées) jalonnent la promenade.

C'est ainsi que le parc floral d'Apremont est né, vision du village anglais et inspiré du style *cottage garden*.

Autre source d'inspiration : le jardin blanc de Sissinghurst, œuvre de Vita Sackville-West. Celui d'Apremont, sous le ciel de la France profonde, adapté à un climat différent, compose avec des plantes heureuses un tableau séduisant.

La visite enfin de Sheffield Park, au sud de Londres, fut décisive pour la conception d'un arboretum. À la suite de cette visite, Gilles de Brissac résolut de creuser trois plans d'eau et d'en planter les abords avec des conifères et des arbres caducs. Par leur taille et leur vigueur, ils animent la seconde partie du jardin.

Ayant déjà exercé à La Celle-les-Bordes, chez ses parents, et à titre professionnel pour des clients privés, Gilles de Brissac savait d'expérience combien cet art exige de labeur et de patience : en faire profiter les autres et le plus grand nombre, si possible, lui vint naturellement à l'esprit.

En Angleterre, les jardins privés s'ouvraient souvent au public, alors qu'en France, c'était peu fréquent. Lui-même n'avait-il pas profité de ses visites ; elles avaient contribué à sa formation et à l'épanouissement de ses connaissances botaniques.

En 1971, il se décide ; six années lui seront alors nécessaires pour mener à bien la création du parc floral. Projet d'envergure ! En 1977, les premiers visiteurs franchissent les portes.

Dès l'entrée, on remarque un pittoresque groupe de maisons berrichonnes qui ne sont pas sans évoquer celles que la reine Marie-Antoinette fit édifier en son hameau de Trianon. Elles sont recouvertes de chèvrefeuilles, de rosiers grimpants « Madame Édouard Herriot », « Clair Matin », « New Dawn », « Phyllis Bride », « Albéric Barbier » et d'une multitude de clématites qui font l'admiration des visiteurs. Parmi celles à petites fleurs, Gilles de Brissac aime *Clematis montana rubens, tetrarose* et *spoonerii*. Parmi celles à grandes fleurs, il utilise « Perle d'Azur », « President », « Gladstone » bleues ; « Mme Lecoultre », « Miss Batman » blanches ; « Ernest Markham », rouge ; « Docteur Ruppel » striée.

En se retournant, on découvre le jardin blanc, doux et rafraîchissant avec ses feuillages gris (armoises, santolines, cinéraires maritimes).

Au printemps, le spectacle commence avec la ronde des bulbes : narcisses, jacinthes, tulipes. Plus tard, une foule de plantes vivaces prennent le relais : delphiniums, spirées, barbe-de-bouc *(Aruncus sylvester)*, phlox, arums, gauras, anémones du Japon... Les rosiers y ont aussi leur place, avec « Grand Nord », « Candeur » et, bien sûr, l'irremplaçable « Fée des Neiges » (aussi appelée « Iceberg »).

Gilles de Brissac emploie aussi de nombreux bulbes d'été comme *Eremurus himalaicus, Lilium regale,* agapanthes blanches, crinums, jacinthes du Cap et, en septembre, les acidentheras. Pour assurer un fleurissement constant, il ajoute des annuelles : cosmos, mufliers, cléomes, tabac d'ornement, impatiens.

Notre parcours nous conduit ensuite vers la bordure de printemps, fort plaisante par ses couleurs champêtres ; ici, le choix a porté sur des plantes sans prétention qui semblent heureuses de vivre là : lupins, ancolies, pyrèthres, pavots, pivoines, digitales.

La promenade continue sous une longue pergola. Gilles de Brissac raconte : « Il est difficile de réussir une pergola, car bien souvent, les fleurs apparaissent au sommet et à l'extérieur. C'est pourquoi mon idée première

CI-DESSUS
Le jardin blanc, inspiré de celui de Vita Sackville-West à Sissinghurst, accueille les visiteurs dès l'entrée. Une multitude de plantes à fleurs blanches abondamment utilisées en masses (phlox, cléomes, jacinthes du Cap, lavatères, tabac d'ornement, rosier rugueux « Blanc Double de Coubert ») sont adoucies par des plantes à feuillage gris : des cinéraires maritimes à droite, des artémises à gauche, et au fond à droite, les géants Onopordons arabicum.

fut d'y réunir des plantes dont les fleurs pendraient sous les arceaux. Il existe trois végétaux qui répondent à ce critère : les glycines, les *Robinia hispida* et les cytises. J'intercalerais les trois. Cette pergola serait comme une valse à trois temps. Sur le premier arceau, je plantai des glycines de Chine et du Japon (j'aime la fameuse *Wisteria Floribunda* « macrobotrys » aux longues grappes mauves). Sur le deuxième arceau, j'insérai le *Robinia hispida,* si séduisant avec ses grappes roses. Sur le troisième, un cytise jaune (*Laburnum X Wateri* « Vossii »). Et ainsi de suite. Les floraisons s'échelonneraient en mai avec bonheur. Dans mon imagination, cette pergola était un succès. Mais les cytises ne veulent pas pousser à Apremont : ils détestent le climat et le terrain. J'ai fini par remplacer les cytises par des rosiers, ce que je voulais éviter ! J'ai choisi « Mme Grégoire Staechlin » avec ses fleurs roses et « American Pillar », en souvenir de ma grand-mère Schneider qui l'adorait. Le jardinage nous apprend l'humilité : vous partez d'une idée mais vous ne réussissez pas toujours à la concrétiser. »

La plate-bande d'été vient ensuite : c'est un *cottage garden* reconstitué, tout à fait charmant. Phlox, perovskia, hémérocalles, héléniums se mêlent à des plantes très architecturées et géantes comme les roses trémières, les *Macleya cordata* glauques ou les *Onopordon*

arabicum argentés. Les crinums roses, les agapanthes « Headbourne hybrids » et les lis s'y
plaisent aussi beaucoup. Ils sont très gour-
mands, aussi les nourrit-on de fumier régulièrement. Quelques rosiers remontants complètent
la scène : les rosiers rugueux dont le feuillage
gaufré est à lui seul une décoration, « Roseraie
de L'Haÿ » et « Blanc Double de Coubert », ou
encore « Ulrich Brunner », ou « Milrose » ou « La
Sévillanna », toujours fidèles.

Une multitude de bulbes émaillent au
printemps le sous-bois : muscaris, camassias,
leucojums, chionodoxas, scilles campanulés
tapissent le sol au pied des pommiers à fleurs
(*Malus toringoides*), dont la floraison simple et
blanche est ravissante : elle est éphémère, mais
c'est un des grands moments du jardin.

Et l'on arrive à la cascade inspirée de
Sheffield Park, d'où l'on a une vue admirable
sur le château et les étangs. Et là, Gilles de
Brissac souhaitait créer un jardin où se plai-
raient les plantes aquatiques telles qu'il avait pu
les admirer au Vasterival, chez la princesse
Sturdza, ou à Kerdalo, chez Peter Wolkonsky. Il
n'en fut rien. Les primevères du Japon, les
astilbes, les rodgersias et les gunneras furent
littéralement carbonisés par la chaleur estivale
étouffante du Berry. Gilles de Brissac dut
renoncer. Il s'est tourné vers les iris de Sibérie,
les hémérocalles, les *Hydrangea arborescens* qui
sont peu exigeants, et vers certains hostas qui
résistent bien.

Dans l'arboretum que l'on visite ensuite,
Gilles de Brissac a rassemblé de très beaux
sujets. Les arbres poussent bien à Apremont.
Pour obtenir un effet rapidement, il fait venir
par centaines des arbres en bac âgés de quinze à
vingt ans : saules, liriodendrons, liquidambars,
cyprès chauves, ginkgos, *Quercus palustris*, *Acer
brillantissimum*, métaséquoias. Ces variétés
classiques offrent de très belles couleurs en
automne et formeront bientôt un parc de toute
beauté.

Pour piquer la curiosité des visiteurs,
Gilles de Brissac, épris de la tradition des parcs
du XVIIIe siècle, a inséré un pont chinois. Il a été
réalisé d'après les croquis d'Alexandre Serebriakoff, qui a travaillé pour Charles de Beistegui à Groussay. Un belvédère est en cours de
réalisation : il sera placé à l'arrière du jardin. De
là, la vue plongera sur le château et la rivière.
Enfin, sur l'un des étangs, Gilles de Brissac va
installer un pavillon turc qui flottera sur l'eau.

Pendant cinq mois, le décor floral du parc
d'Apremont se renouvelle, pour le plaisir des
visiteurs. Plus loin, dans le village, les maisons
sont elles aussi ornées de fleurs.

Cette vaste composition dominée par le
château, surplombant la rivière qui s'étire entre
des bancs de sable, nous invite à vivre quelques
heures dans une sérénité rurale apaisante, loin
du cœur des villes surpeuplées.

CI-DESSUS
*La plate-bande d'été est
également traitée en cottage
garden. Les plantes choisies
assurent un spectacle joyeux
durant toute la belle saison :
à gauche, des mufliers
orangés ; au centre, une
énorme touffe de lavatères ; à
ses pieds, une santoline
grise. Derrière : phlox, roses
trémières, molènes, superbes
sauges bleues, rudbeckias
jaunes, marguerites,
perovskias, macleyas. Les
masses de plantes vivaces et
d'annuelles sont à l'échelle
de cette vaste plate-bande :
elles se relaient ou
remontent et font chanter la
petite maison campagnarde
au fond.*

À DROITE
*Cette fois, la haie de
charmilles crénelée souligne
et ordonne un spectacle
grandiose : le château à
l'arrière-plan, dominant le
jardin et le parc planté
d'essences qui flamboient en
automne.*

Les Moutiers

« Nous sommes les restaurateurs d'un tableau », explique Robert Mallet, petit-fils de Guillaume Mallet, créateur du parc des Moutiers. Des fenêtres du salon, le décor végétal apparaît comme un ensemble construit et cohérent, avec ses premiers plans et sa toile de fond. Guillaume Mallet consacra quarante années de sa vie à cette conception. Il s'inspira des jardins anglais qui descendent jusqu'à la mer, comme dans l'île de Wight, et il fit appel, au départ, à Lutyens et à miss Jekyll. Ils dessinèrent les plans. On y resta fidèle.

Durant son enfance, issu d'une famille fortunée et cultivée, Guillaume Mallet avait beaucoup entendu parler de couleurs, de nature, de plantes et de jardins. C'est ainsi que l'idée de créer le sien germa en lui. Lorsque toutes les conditions furent réunies, il se mit en quête d'un vaste terrain. Il le voulait en bord de mer, il le souhaitait acide pour y cultiver des rhododendrons, sous un climat analogue à celui de l'Angleterre. Varengeville était le lieu idéal. Il fit l'acquisition d'une dizaine d'hectares qui descendent lentement vers la mer, sur cette falaise calcaire recouverte d'argile acide où se plaisaient les plantes de sous-bois.

Mrs. Earl, dont le salon était célèbre à Londres puisqu'il réunissait les fervents admirateurs du mouvement Art and Craft, lui conseilla les services du jeune architecte Lutyens. Celui-ci dessina les plans du manoir et, en association avec miss Jekyll, ceux du jardin. Guillaume Mallet composa le parc. Enthousiasmé par les tableaux des peintres du paysage comme Gaspard Duguet et Le Lorrain, collectionneur de damas datant de la Renaissance, il construisit le parc comme un tableau et sélectionna les plantes et leurs couleurs en s'inspirant des harmonies de ces pièces de tissu anciennes. Son cahier de jardin rend compte de ses commandes et de ses choix. Les végétaux arrivaient par centaines, et si une fois installés et en fleur la couleur ne convenait pas, il les éliminait. Cette recherche de la perfection l'amena à créer un chef-d'œuvre d'harmonies subtiles où tous les végétaux sont à l'unisson.

L'architecture de la maison se prolonge tout autour par des pièces à ciel ouvert délimitées par des murs qui protègent du vent. On

À GAUCHE
Dans le parc, sous le couvert de Sequoia sempervirens, des scilles se sont naturalisées parmi les rhododendrons, à la manière de William Robinson.

À DROITE
Devant la maison, des murs découpent des pièces à ciel ouvert. Cette architecture extérieure fut orchestrée par Lutyens. Des ouvertures les relient et ménagent des perspectives qui appellent le promeneur. Ici, nous sommes dans le jardin blanc. Dans les parterres délimités par des petites haies de buis, des tulipes 'White Triomphator' se mêlent au printemps à de l'arabis double et à la pulmonaire 'Sissinghurst White'. Au-delà du mur palissé d'un cotoneaster et d'hydrangéas petiolaris se trouve la cour d'honneur. Plus loin, dans l'enfilade et après le second mur, apparaît la pergola.

entre par le jardin blanc : des petites haies de buis délimitent des carrés plantés de rosiers (« Iceberg », « Snow Ballet », « Frau Karl Duschki », *Rosa rugosa* « Repens », la favorite de Gertrude Jekyll), associés à des plantes vivaces (valérianes, lamiums) et à des annuelles (cosmos). D'un côté, des murs d'ifs sombres font ressortir le blanc immaculé des fleurs, de l'autre, des murs de pierre sont palissés d'*Hydrangea petiolaris*.

Puis une porte vous attire vers la cour d'honneur. Pour structurer le décor végétal, Lutyens avait prévu quatre cyprès enserrés dans un beau dallage. Il n'en reste qu'un, car le froid a eu raison des trois autres. La famille Mallet s'attache à les remplacer par des arbres moins fragiles qui produiront le même effet. Mais le choix n'est pas aisé car il faut conserver la même texture de feuillage, la même tonalité de couleur et le même port. Le cyprès *dupreziana*, finalement retenu, semble satisfaisant.

Les deux *mixed borders* qui mènent au manoir sont inspirées de Gertrude Jekyll et servent de bouquet d'accueil. Rythmées par des contreforts végétaux en ifs, elles mélangent rosiers (« Cornelia », « Felicia », « Penelope », « Prosperity », « Roseraie de L'Haÿ »), arbustes

(buddleias, mahonias, deutzias) et plantes vivaces (phlox, anémones du Japon, campanules). Les couleurs y sont douces et les feuillages gris servent de trait d'union.

À droite, la promenade se poursuit sous une pergola très anglaise entrelacée de rosiers (« Cécile Brunner », « Alister Stella Gray », « Albéric Barbier », « Likkefund ») et ourlée à ses pieds de plantes vivaces. Elle longe le jardin du cadran solaire où se mêlent des tapis de lavandes, de perovskias et de romarins.

Au-delà s'étend la clairière des magnolias, choisis dans les variétés à petit développement : « M. Merrill », « Leonard Messell », « George Henry Kern », « Wada's Memory ». Au printemps, cette scène immaculée, parfumée et étoilée est d'une grande beauté. Pour l'été, une allée se borde d'une collection d'hydrangéas très florifères (*H. paniculata* « Grandiflora ») mélangées à des rosiers « Penelope » sur fond de *Polygonum campanulatum* et d'*Erigeron triloba*.

Puis on entre dans l'ancien potager : ce jardin clos de murs est structuré d'une double allée en croix ponctuée d'ifs d'Irlande. Il a été transformé en roseraie. Parmi les rosiers, sur la brique rose de Varengeville, courent « Seagull », « Bobie James », « Paul Ledé », « Helenas », « The Garland » ou « Meg ». Dans les plates-bandes, il mélange les « English Roses » de David Austin à une collection de pivoines herbacées blanches et rouge sombre et à des plantes vivaces à feuillage gris ou à fleurs bleu pâle.

En passant à travers le « Pâtis », on admire la santé des plantes et leur grâce : une masse de mahonias « Buckland » offerts par Lionel Fortescue, un *Epimedium peraldianum* dont le feuillage persistant est remarquablement large, des camélias, des *Pieris* ou des rhododendrons *augustinii* « Green Eye » sur un fond de rhododendrons nains bleutés et de scilles horticoles.

Et l'on descend vers le parc. En toile de fond, Guillaume Mallet a choisi des cèdres bleus qui rejoignent la ligne d'horizon à l'endroit où le ciel rencontre la mer, des chênes verts et des houx. Ils ont été plantés par groupes. Le feuillage charnu des rhododendrons s'accompagne de la légèreté de celui des houx, des pins d'Écosse ou des *Pieris*, dont les pousses couleur de corail éclairent le sous-bois. Ici, les *Pieris* « Orange Flame » et « Forest Flame » ont été remplacés par des *Pieris* « Fire Crest » plus résistants au froid. Tous ces feuillages forment un ensemble harmonieux.

Le parc est émaillé en toute saison de scènes spectaculaires : les azalées *mollis,* les rhododendrons, les rosiers botaniques (« Stanwell Perpetual », *R. chinensis* « Mutabilis », *R. rubrifolia*), une vague d'iris de Kaempferi mêlés à des arums, une centaine d'espèces d'hydrangéas, une collection d'érables pour l'automne, tous ces végétaux plantés en masses

pour respecter l'échelle des lieux créent des centres d'intérêt d'une grande beauté.

Ils sont reliés par une pelouse traitée à la manière de William Robinson, où se naturalisent les jonquilles, les anémones, les jacinthes des bois, les primevères et les cardamines.

Le parc des Moutiers est un lieu où l'on se sent bien, où l'on se retrouve : l'harmonie des couleurs, des végétaux, les justes proportions des différents éléments qui la composent, la douceur du style anglais, tout concourt au charme de l'endroit. C'est un jardin qui fait renaître l'enthousiasme.

CI-DESSUS
La promenade se poursuit dans le parc sur un sentier qui serpente entre un érable et un pin à plusieurs troncs.

Royaumont

Un jardin est le fruit de l'association de trois forces : le site impose ses données naturelles, le propriétaire ses préférences et le concepteur son style. Ces trois forces sont en présence ici. Ce jardin se situe au nord de l'Île-de-France, dans une région boisée et marécageuse. Lorsque Nathaniel de Rothschild prit la décision de le restaurer, après l'année des grands gels, il s'attacha les conseils de Penelope Hobhouse. Celle-ci passa deux jours sur les lieux pour en saisir l'esprit, tout en se mettant à l'écoute de ses désirs. Elle composa un plan. Et c'est ici qu'entre en scène une quatrième force : pour mettre en œuvre ce jardin qui n'existait que sur le papier, elle lui conseilla un chef jardinier compétent, un véritable technicien doublé d'un paysagiste de talent, James Priest.

Le jardin est situé dans une cuvette fraîche et humide, au cœur d'une forêt. Une rivière peuplée de ragondins dévastateurs le traverse. Près de l'ancienne ferme, transformée aujourd'hui en résidence campagnarde très confortable, existait un jardin de sous-bois créé par le baron Élie de Rothschild, où dominaient azalées et rhododendrons. Il est toujours là, agrémenté désormais d'une piscine. Nathaniel de Rothschild demanda à Penelope Hobhouse de composer, près de l'eau turquoise, une plate-bande bleue. Pour créer une transition entre le jardin sauvage et cette bordure céleste, elle a utilisé des arbustes à feuillage argenté en toile de fond : hippophae, saules (*Salix helvetica*) et *Elaeagnus commutata*. On y fait grimper des clématites comme la charmante *Clematis* « Alba Luxurians ». Au premier plan, les plantes vivaces sont utilisées en masses. Au cœur de l'été, en bleu, les têtes rondes des agapanthes sont associées aux *Aster frikartii* « Mönch » et à *Salvia uliginosa*. Quelques annuelles (*Salvia farinacea*) remplacent les plantes vivaces défleuries. Pour les rehausser, Penelope Hobhouse a inséré des plantes à feuillage gris comme l'artémise « Powis Castle » ou l'artémise *A. Ludoviciana Latifolia*. Et à l'extrémité, les énormes têtes rondes d'une douzaine d'*Hydrangea Arborescens* « Annabelle » apportent une note blanc-vert des plus harmonieuses. Ces arbustes servent aussi à relier les plantes de terre de bruyère aux plantes herbacées. Autour

À GAUCHE

Le potager. Cette vue a été prise dans l'axe de l'entrée, en avril. Les fleurs printanières sont arrangées avec beaucoup de liberté dans une bordure au tracé rectiligne. Les couleurs sont douces : bleu, blanc, rose. Tulipes roses « China Pink », tulipes blanches « White Triumphator », pensées, myosotis se mêlent à une touffe d'euphorbe martini à la floraison jaune-vert. Au pied du second treillage : une touffe de Lychnis coronaria « Alba » prometteuse. Ces treillages en châtaignier sont enlacés de chèvrefeuille (Lonicera japonica « Halliana »). Des pommiers en espalier soulignent la structure.

À DROITE

La plate-bande bleue près de la piscine a été créée à la place d'un massif d'azalées et de rhododendrons qui n'assurait pas un décor en été. Les fleurs s'harmonisent avec le bleu de l'eau. Au premier plan, une touffe d'hostas (Hosta elegans « Frances Williams »). L'arbre à droite est un Prunus padus. À gauche, trois pieds d'un petit arbuste à floraison bleue : Caryopteris. À droite, plusieurs Hydrangea arborescens « Annabelle ». Derrière, de gauche à droite : artémise ludoviciana au feuillage gris, Aster frifartii « Mönch » mauves, gipsophile paniculata défleuri, dont on ne coupe pas les fleurs fanées pour éviter un trou dans la plate-bande. Au loin, Salvia uliginosa à gauche et S. mexicana à droite. Au bord de la piscine, le Plumbago capensis remplit les potées de ses fleurs bleu ciel.

de la piscine sont disposés des pots plantés de *Plumbago Auriculata* (Syn. *P. Capensis*) bleus et d'acidentheras blancs au cœur noir.

Puis on entre dans l'ancien potager. Il est clos d'une haie d'ifs et son tracé est classiquement géométrique : des allées secondaires traversent à angle droit une allée centrale plus large qui conduit le regard au-delà des limites du jardin clos vers une voûte de verdure. Par cet artifice, le jardin s'est trouvé subjectivement agrandi. Des pommiers traités en espalier bordent cette allée, et leur base est soulignée par une plantation de jolies annuelles : *Salvia horminum* et *S. patens*. Dans les carrés ont été rassemblées quantités de plantes utiles pour les bouquets, dont Penelope Hobhouse a dressé la liste : plantes vivaces (asters, ancolies, delphiniums, lupins, érigérons), plantes annuelles (giroflées, mufliers, reines-marguerites), pivoines herbacées doubles et rosiers (« Duchesse de Kent » jaune pâle et « Marguerite Merrill » blanc) sont arrangés en merveilleux et multiples bouquets qui ornent la maison et sont remplacés tous les quatre jours. La préférence

À GAUCHE
*L'azalée
« Palestrina » photographiée
derrière la plate-bande bleue
de la piscine.*

À DROITE
*Le potager. Cette vue a été
prise au mois d'août. L'allée
est perpendiculaire à la
précédente. La table en
pierre ancienne ponctue le
centre du potager. La
structure est marquée par
des poiriers menés en
espalier et par des treillages
où s'accroche le
chèvrefeuille. Les
plates-bandes sont toujours
bleues, roses et blanches. La
plantation est informelle et
réunit : à gauche, Salvia
horminum « Pink Lady »,
une touffe d'Alchemilla
mollis défleurie dont il reste
le beau feuillage, plusieurs
pieds de Centrenthus ruber
(deuxième floraison); à
droite, Salvia patens bleue
au premier plan, puis
S. horminum pourpre «
Blue Beard », Sedum
spectabile aux fleurs plates
et roses, et devant l'Alyssum
annuel blanc « Little
Dorrit ».*

du baron de Rothschild va vers les bouquets de campagne, les grandes brassées de fleurs.

Et le troisième jardin apparaît. Le baron souhaitait rénover son *mixed border* dans le plus pur style anglais, qui serait beau du mois de mai à la fin de l'été. Penelope Hobhouse réalisa les plans. Mais avant toute chose, certains problèmes techniques devaient être réglés si l'on voulait orchestrer les plantations de façon satisfaisante : il fallait préparer soigneusement le terrain, savoir installer les plantes dans l'esprit anglais, interpréter correctement le plan et enrayer une maladie qui décimait de beaux sujets dont la présence était souhaitée. James Priest était l'homme de la situation : d'origine anglaise, parlant parfaitement le français, il a fait ses études à Kew Gardens, la plus célèbre école d'horticulture d'Angleterre.

Ainsi fut modifié ce troisième jardin, dans les meilleures conditions possibles. Il forme un grand rectangle, dont l'un des petits côtés est fermé par la maison. Sur les trois autres, se tient une majestueuse haie d'ifs sombres. Et la grande plate-bande au tracé sinueux s'appuie sur ces ifs et forme un grand « L ». À droite, pour rythmer ce grand côté qui aurait pu paraître monotone, Penelope Hobhouse a installé des robinias à intervalle régulier. La taille de chaque masse de fleurs est proportionnée à celle de la plate-bande : pour obtenir un effet, les taches de couleur devaient être énormes. Certaines font deux à trois mètres de long. Et la plate-bande a, par endroit, plus de dix mètres de profondeur. Les tons pastel ont été retenus : en rose, des anémones du Japon, des cléomes, des penstemons ou la *Lavatera Olbia* « Barnsley »; en bleu, les perovskias, la sauge farineuse (*Salvia farinacea*), en jaune, une anthemis très florifère ou l'achillée « Golden plate »; en blanc, les gauras, les nicotianas ou les *Dimorphoteca eklonis*. Les plantes vivaces et les annuelles se mélangent. Certaines ne résistent pas au froid.

À GAUCHE
Une vaste pelouse en face de la maison est fermée par une haie d'ifs sombres. Au centre, un Acer platanoides d'âge vénérable. À gauche, une glycine suit une armature en fer. Derrière la haie se trouve la piscine.

CI-DESSOUS
Cette partie de la plate-bande, face à la maison, a été composée par James Priest. Ces fleurs s'appuient sur la ramure d'un Parotia persica, en bordure de la haie d'ifs. Au premier plan, Verbena Rigida (Syn. V. Venosa) bleue; à droite, Anthemis « EC Buxton » jaune, vivace gélive que l'on traite ici en annuelle. Derrière, Nicotiana affinis blanc (annuelle). Devant, Euphorbia Characias Wulfenii, et au premier plan Diascia Vigilis (Syn. D. Elegans) rose. Dans le fond : à gauche, on aperçoit les têtes rondes des cléomes spinosa « Pink Queen », et derrière, des Verbena bonariensis bleues; à l'extrême droite, une Hydrangea villosa.

À DROITE
La mixed border de Penelope Hobhouse. Elle s'appuie sur une haie d'ifs taillée; des Robinia rythment le grand côté. À l'intérieur, se mélangent toutes sortes de plantes utilisées en masses, avec beaucoup de liberté. Au premier plan, des rosiers « Nathalie Nypels » s'appuient sur une touffe de Geranium psilostemon. À l'extrême droite, des Lilium speciosum « Uchida » se détachent sur un fond d'eupatoire purpurea, et s'éclairent, à droite, des fleurs étoilées des anémones du Japon « Prince Heinrich ». Au centre, des astilbes fanées (Astilbe tacquita « Superba ») dissimulent une touffe de Campanula « Loddon Anna ». À leur pied, un Penstemon rose « Pink Endurance » (synonyme : « Evelyne »). Plus loin, les goupillons blancs des Cimicifuga, et derrière, les plumeaux blanchâtres d'une Artemisia lactiflora. À l'extrême gauche, la touche bleue très lumineuse des perovskias.

Aussi James Priest fait-il chaque année des boutures des plus fragiles qu'il conserve dans les serres en hiver. Pour Penelope Hobhouse, ces plantes délicates et rares renforcent le caractère du jardin. C'est le cas des dimorphotecas, des anthemis, de l'artémise *arborescens* ou des cheiranthus à fleurs mauves. Les couleurs sont subtiles, douces et gaies, comme sait si bien les manier Penelope Hobhouse qui a suivi les leçons des impressionnistes et de Gertrude Jekyll, et qui sait aussi les utiliser à sa façon comme le démontre son jardin de Tintinhull. Par exemple, pour passer d'une couleur à une autre, elle utilisera un groupe d'arbustes comme les *Viburnum plicatum* « Mariesii » qui auront fleuri plus tôt et dont le feuillage vert servira en été de trait d'union. Chaque créateur a ses astuces. Penelope Hobhouse nous fait part de ses réflexions sur l'usage des couleurs dans son livre *Colour in the Garden*, publié juste avant la création de ce jardin. Royaumont serait en quelque sorte l'application directe et vivante de ses principes.

On imaginerait bien ce jardin sous un ciel anglais. Du reste, les pelouses ici n'ont rien à envier aux plus grands chefs-d'œuvre britanniques. Et l'on retrouve cette même douceur, ce même charme. Mais sans le talent et la compréhension de James Priest, tout le travail de « Penny » serait resté lettre morte.

Pontrancart

Voici l'un des joyaux de notre verte Normandie. Des fenêtres du château Louis XIII, on
aperçoit trois jardins : tout près, un jardin en
broderie, à droite, un jardin d'été conçu par le
père de l'actuel propriétaire qui suivit les
conseils d'une jardinière anglaise, miss Lloyd
Jones et, à gauche, un vaste jardin d'eau qui est
l'œuvre de Russell Page.

Vu d'en haut, le premier ressemble à un
labyrinthe constitué de haies d'ifs sombres. En
cela, il est bien français. Mais à l'intérieur, le
foisonnement des fleurs rappelle évidemment
l'Angleterre. Le mariage des deux styles est
étonnamment réussi : c'est une sorte d'osmose.

Il faut dire que ce jardin très structuré est
introduit, aux pieds du château, par quelques
parterres en broderie qui ornent les terrasses et
prolongent l'architecture de la demeure. Nous
sommes là en plein classicisme ; un petit jardin
à la française répond au style Louis XIII de la
bâtisse et des buis dessinent des arabesques et
des motifs géométriques soulignés de plantes à
feuillage gris : des santolines et des œillets
mignardises taillés courts adoucissent un tracé
très strict.

Plus loin, les berges fleuries des douves
servent de transition avec le jardin d'été qui a
remplacé l'ancien potager. De l'autre côté du
ruban d'eau, une immense plate-bande fleurie
adossée à un mur annonce un chef-d'œuvre.
Les haies d'ifs divisent l'espace en pièces de
verdure ; en passant de l'une à l'autre, le visiteur
va de surprise en surprise.

Le père de notre hôte acheta le domaine
dans les années trente, et transforma en un
jardin ornemental ce qui était jadis un jardin
utilitaire. Il choisit d'y implanter une structure
formelle, tout en insérant dans les plates-
bandes des plantes qui ménageraient une certaine souplesse à l'ensemble, en créant des
sortes de *mixed borders,* comme seuls les
Anglais savent les faire, qui se détacheraient sur
une toile de fond dense et sombre. Pour
harmoniser les couleurs, il fit appel au talent de
miss Lloyd Jones. Chaque pièce de verdure fut
vouée à une couleur. Ainsi, l'une est jaune,
l'autre est blanche. La plus délicieuse est sans

aucun doute la chambre bleue où se mêlent *Salvia farinacea*, ageratums, agapanthes, *Stachys
Byzanthina (Syn. S. Lanata)*, perovskia, cosmos,
phlox et *Thalictrum Delavayi (Syn. T. Diplerocar-
pum)*. Cette pièce, favorite du créateur de ce jardin, vous transporte : la légèreté des fleurs, leur
santé, la délicatesse des coloris, le raffinement
des associations, tout concourt à l'harmonie.

Les transitions d'une pièce à l'autre ne
sont pas toujours faciles. Comment passer sans
heurt d'une couleur à une autre ? Russell Page
eut une idée lumineuse : il conseilla de planter
un rond de rosiers blancs « Iceberg » à l'intersection de deux plates-bandes qui entraient en
conflit. Effectivement, aujourd'hui tout s'en-
chaîne joliment.

Après le décès de son père, l'actuel propriétaire prit le jardin en main. Au début, il
considéra cette tâche comme un devoir, mais
peu à peu, la passion le gagna. L'expérience, le
bon goût et l'attachement à ces lieux si beaux
ont fait de lui un expert.

Les fleurs doivent toutes être au rendez-
vous du 15 août au 15 septembre car le maître
des lieux ne réside en Normandie que durant
cette courte période. De quelles fleurs s'agit-il ?
La plupart sont des annuelles : les plus raffi-
nées, celles dont les couleurs sont les plus

CI-DESSUS
Il faut que les plantes soient au maximum de leur beauté pendant un mois : d'où la nécessité de mélanger annuelles, vivaces et dahlias. À gauche, des sédums 'Autumn Joy' aux fleurs plates prometteuses, des dahlias nains rouges à collerettes se détachent sur un fond de roses d'Inde jaunes, des centaurées barbeau bleues et des cléomes roses sur fond de delphiniums bleu soutenu. Au fond à gauche, des grands dahlias rouges et, derrière le mur, des cosmos.

À GAUCHE
Cette pièce est vouée aux grands zinnias variés. Cette plate-bande décrit un carré dont on perçoit un angle. Les meilleures sélections de graines sont recherchées chaque année dans le monde entier, notamment aux États-Unis.

subtiles, les variétés les moins communes. Quelques plantes vivaces les accompagnent : seules ont été sélectionnées celles qui fleurissent à la fin de l'été. Parfois même, elles sont traitées en annuelles et elles sont replantées chaque année. En somme, elles sont toutes soumises au même impératif : être en fleur au même moment. Le but est atteint. Mais quelle prouesse! Certaines sont hâtées, d'autres retardées. Tout dépend en fait de la date de semis, d'où l'importance d'un calendrier très étudié où chaque floraison est programmée.

Sans la complicité qui existe entre le propriétaire et son chef jardinier, un tel exploit serait irréalisable. Tous deux marchent dans la même direction. Les catalogues de graines français et étrangers sont minutieusement compulsés chaque année, les nouveautés repérées, de nouvelles associations admirées dans d'autres jardins sont expérimentées en pépinière, une année auparavant. Et quand les fleurs sont à leur apogée, le maître des lieux fait le tour du jardin avec un œil critique et note ce qui doit être amélioré. Il faut beaucoup de rigueur et de génie pour créer un chef-d'œuvre.

Les fleurs sont heureuses ici. Elles sont abondamment nourries, et le fumier des vaches que l'on aperçoit au loin leur réussit à merveille. Les fleurs fanées sont coupées quotidiennement, et le jardin est copieusement arrosé par un système de tourniquets qui fonctionne le soir jusqu'à une heure très avancée de la nuit.

Ainsi le jardin d'été brille chaque année. C'est un lieu de contrastes entre l'architecture végétale massive, rigide, solide, sombre et impassible aux effets du vent, et mille fleurs vaporeuses, légères, souples, fragiles et si joliment colorées. C'est un jardin où l'homme maîtrise la nature. Il en est tout autrement du jardin d'eau qui se fond dans la campagne normande et où la nature s'exprime librement.

Russell Page, très réputé en France où ses créations sont nombreuses, notamment en Normandie et dans le Midi, a dessiné le jardin d'eau et conseillé dans le choix des plantes. C'est l'antithèse du jardin d'été. L'eau, les contours sinueux et les grandes masses de plantes vivaces se mêlent harmonieusement aux grands arbres, aux prairies et au paysage vallonné environnant. À l'entrée, une énorme

touffe de gunneras vous empêche de découvrir le jardin dans sa totalité. Après l'avoir contournée, vous découvrez sur les berges d'une retenue d'eau mouvante une multitude de variétés de plantes vivaces qui affectionnent un terrain humide : rodgersia, *Darmera Peltata (Syn. Peltiphyllum Peltatum)* osmonde royale, lythrum, *Iris pseudacorus*. Ici, toutes les couleurs sont mélangées. Au début, le mauve dominait trop et c'était un peu triste. On a ajouté du blanc pour égayer un peu : des crinums, des *Cimici fuga* et du *Lysimachia clethroides*.

Le jardin d'eau est très récent. Il faut attendre que les plantes vivaces s'installent et se développent pour atteindre les effets recherchés. Mais déjà, il en émane un calme et un charme certains. Le vent y joue librement avec les touffes de graminées qui donnent de la vie à l'ensemble. Le bruit de l'eau, le bruissement des feuillages contrastent avec l'aspect statique des haies du jardin d'été.

Beaucoup de constance, de talent, de travail et de passion : tout cela pour une fête estivale de quatre semaines, sans cesse renouvelée d'année en année, pour l'amour de la beauté.

À GAUCHE
Le parterre en broderie situé au pied du château. Les motifs sont soulignés de buis. Le pourtour est composé de santolines grises. À l'intérieur, les arabesques se remplissent d'œillets mignardises taillés. Autour du parterre, les douves.

À DROITE
Le jardin d'eau dessiné par Russell Page. Autour de l'étang, ont été rassemblées des masses de plantes vivaces : au premier plan, le feuillage découpé des rodgersias, des agapanthes bleues ; à gauche, des reines-des-prés ivoire ; derrière, des Lysimachia clethroides blancs ; au fond, une touffe de lythrums roses et, à gauche, le feuillage rond des Petasite japonicum « giganteum ». À droite, le feuillage lancéolé et hirsute des Miscanthus saccaharifolius.

Échos
d'Italie

Plus on s'approche de la Méditerranée, plus les jardins s'italianisent. Le soleil, la chaleur, la couleur du ciel et de la terre, les escarpements, la végétation, la présence de la mer et les parfums, tout évoque l'Italie. Dans les jardins, le bleu, le vert et l'ocre s'adoucissent de plantes à feuillage gris qui aiment la chaleur, et s'ordonnent autour des lignes sombres et verticales des cyprès. En souvenir des fastes de la Renaissance italienne, les tracés sont très architecturés : des escaliers relient les terrasses, des enfilades de motifs taillés créent des perspectives savamment orchestrées comme à La Chèvre d'Or, les plantes se chauffent sur les dallages ou les galets et diffusent des senteurs suaves, des fontaines indispensables rythment les promenades comme à la Villa Noailles et sont autant de présences musicales et rafraîchissantes. Ce sont des lieux de délices où l'on se prélasse; ici, la vie se joue comme une fête.
Aux Serres de la Madone, sur l'une des terrasses, Lawrence Johnston construisit une piscine et la prolongea d'un bassin. Au fond, une orangerie abrite des plantes fragiles. Des pots en terra cotta plantés d'orangers rythment le pourtour et une statue ancienne flotte parmi les nénuphars. Les eucalyptus, les oliviers, les cimes des cyprès, la terre cuite, les tuiles rondes et les pierres patinées sont autant de réminiscences italiennes.

Villa Noailles

Le vicomte de Noailles fut l'un des premiers en France à ériger le jardinage en art. Esthète et botaniste dans l'âme, il créa à la Villa Noailles un très beau jardin, qui sert souvent d'élément de référence et de source d'inspiration à ceux qui sont animés de la même passion. On pourrait se croire en Italie : les oliviers et les cyprès alentour, la présence de l'eau domestiquée, les terrasses et les plantes cultivées en pot créent une ambiance toute méditerranéenne très séduisante.

Le jardin s'appuie sur les coteaux de Grasse et plonge sur les collines qui moutonnent au loin. On cultivait jadis en ces lieux l'olivier, et les moutons transhumants trouvaient refuge dans l'ancienne bergerie. Le vicomte de Noailles fit l'acquisition de la bastide en 1936, et il créa le jardin après la guerre. Il dessina un ensemble très architecturé autour de la maison et des promenades horizontales sur le coteau, reliées par des escaliers et ponctuées de surprises délicieuses comme des fontaines, des bancs, des petits pavillons ou des statues. En bas, dans la prairie, il inséra une collection d'arbres à floraison printanière. Car la Villa Noailles est avant tout un jardin de printemps.

Charles de Noailles fut séduit d'emblée par le paysage et par les sources qui ne tarissent jamais, même en été. En entrant, on est charmé par les gargouillis et les clapotis des fontaines qui déversent goutte à goutte une eau bienfaisante et rafraîchissante sur les pierres colonisées par les scolopendres, les capillaires et l'helxine envahissante. Souvent dans le jardin surgit le thème de l'eau sous la forme d'un bassin, d'un abreuvoir ou d'un jet d'eau craché par une tête en pierre ou une gargouille. Comme près de la maison, on trouve autour de cette pièce d'eau quantité de plantes en pot régulièrement renouvelées ainsi que dans la cour d'entrée qui ressemble à un jardin florentin où les potées reposent sur un sol de galets artistement dessiné, et où trois marches mènent à un bassin moussu.

Les promenades en terrasses font découvrir des tableaux restés célèbres dans le monde du jardinage : une collection de camélias, une

CI-DESSUS
Des escaliers relient les
différentes terrasses et
descendent vers la partie la
plus humide du jardin où
sont rassemblés les prunus
et les magnolias. Au centre
des marches, on a prévu une
rainure pour le passage des
brouettes. En bas, une
fontaine évoque l'Italie. Des
oliviers peuplent les coteaux.

À GAUCHE
Partout dans le jardin, le
vicomte de Noailles avait
inséré des ornements de
jardin anciens. Autour de ce
visage et de cet angelot court
une plante grimpante qui
tapissait des murs entiers :
« Muhlenback ».

CI-DESSUS
Le vicomte de Noailles savait mettre les plantes au service de l'architecture. Ici, il utilisa des Cercis (un blanc pour trois roses) et construisit une pergola. La promenade passant par les terrasses supérieures, le visiteur est appelé par ce toit rose à clairevoie sur lequel il a l'impression qu'il va marcher.

allée d'arbres de Judée taillés en pergola, ou une pièce de verdure magistralement entourée de haies de buis qui enserrent, comme dans un écrin, une multitude de pivoines arbustives. Le vicomte de Noailles excellait dans la construction de cette architecture végétale qui structure le jardin avec tant d'élégance. Il profita de la présence de haies de buis deux fois centenaires qu'il rajeunit et modela à sa façon, en leur donnant des courbes d'une rare beauté. Il installa des bancs entre ces motifs, entre deux scènes, afin de pouvoir observer le jardin sous différents angles. Et il opposait toujours, à la rigueur des sculptures végétales, la souplesse des végétaux, comme cette clématite *armandii* se mêlant au *Ficus repens* qui recouvre désormais entièrement le banc.

En bas, dans la prairie des oliviers où abondent les narcisses et les fritillaires naturali-sés, il créa un spectacle printanier d'une grande délicatesse : il associa une multitude de magno-lias aux fleurs roses ou blanches et charnues comme des tulipes à la floraison légère, vapo-reuse et pointilliste des prunus. Parmi les magnolias, il faut noter *M. campbelli*, *M. lilli-flora*, *M. denudata*, *M. kobus*, *M. sargentiana* et *M. stellata*. Parmi les prunus, le *P. sargentii*, le *P. serrulata* et le *P. subhirtella* « Automnalis » sont remarquables.

Le vicomte de Noailles employait plu-sieurs jardiniers. Son rayonnement était indé-niable et ses conseils sont restés précieux. Sa parfaite connaissance des plantes qui aiment un climat chaud et ensoleillé, son expérience de grand jardinier et sa grande culture sont immortalisées dans son livre, publié aux édi-tions Floraisse, *Plantes des jardins méditerra-néens*.

À GAUCHE

Au début, une haie fermait cette pièce de verdure. La sœur du vicomte de Noailles, la princesse de Lignes, pour qui le parc du château de Belœil, en Belgique, ne recelait aucun secret, habitait Cannes et lui donnait souvent son avis. Elle lui conseilla d'ouvrir cette pièce sur les collines de Grasse entre les deux cyprès. Des arums (Zantedeschia aethiopica) sont cultivés en pot et ornent le pourtour du bassin. L'eau est habitée par des poissons que le vicomte de Noailles fut un des premiers à introdudire en France : des carpes Coï réputées pour leur familiarité.

À GAUCHE, EN BAS

Ces buis existaient avant que le vicomte de Noailles ne prenne possession des lieux. Il prit le risque de les rajeunir en les mettant à nu. Il en fit ensuite ces motifs d'architecture qui révèlent son gout sûr et son souci de la perfection : aux portes, frontons et décrochements, il ajouta des détails en relief, toujours pour alléger, perfectionner, affiner. Des santolines grises apprécient les pierres chaudes d'un muret. Une fontaine et sa musique rappellent les jeux d'eau italiens. Ici commence le merveilleux jardin de pivoines arbustives.

À DROITE

Le jardin des pivoines s'étend sur une longue terrasse. Cette collection d'espèces japonaises arbustives est insérée dans un écrin de haies d'ifs qui forment des murs interrompus et rythmés où joue la lumière. Les ombres font ressortir le relief. À l'intérieur, des oxalis décrivent un quadrillage en diagonale. Ces pivoines que l'on protège du vent, des courants d'air et d'éventuelles gelées ont une floraison éphémère début mai.

À Saint-Jean-Cap-Ferrat

Une situation rêvée, un site unique : voici les deux grands atouts de ce jardin. Il a pour cadre la riche presqu'île résidentielle de Saint-Jean-Cap-Ferrat, et s'étend sur un replat qui domine la Méditerranée. Immédiatement en contrebas, déboulent les derniers rochers qui se jettent dans la mer. Et le chemin des douaniers serpente le long de cette côte déchiquetée.

Les propriétaires possédaient depuis plusieurs années une résidence à cet endroit, agrémentée d'une piscine. Ils venaient de faire l'acquisition d'une bande de terrain tout en longueur : cette parcelle agrandissait la propriété et leur permettrait d'y faire construire une maison pour leurs amis. Mais ils ne savaient comment relier ces deux entités. Leur architecte, André Svetchine, leur conseilla de faire appel à Jean Mus.

La tâche du paysagiste n'était pas facile. Le décor environnant était fabuleux, mais cette langue de terre était en pente et donnait à pic sur les rochers. Les goûts des propriétaires allant vers l'Italie, et le pavillon construit par André Svetchine étant d'inspiration palladienne, Jean Mus s'orienta donc vers un tracé à l'italienne. Il s'adapta si remarquablement au site que tout ici semble évident.

Pour relier les deux propriétés, il tailla un axe dans la colline, creusa un replat et construisit une perspective entre les deux villas. Car dans la tradition de l'art des jardins italiens, un point haut est relié à un point bas par la création d'une perspective, de terrasses, d'escaliers, d'alignements, l'ensemble étant agrémenté de cyprès et de poteries.

Le pavillon d'amis ouvre sur le jardin par une terrasse complétée d'une loggia qui surplombe la mer. Et l'on descend vers un tapis vert par un escalier en pente douce aux marches longues tapissées de verveines rampantes. Pour ponctuer l'extrémité des marches, Jean Mus a placé des pots en *terra cota* plantés de lauriers-sauce taillés en boule et montés sur tige. Au centre, des géraniums-lierre descendent en cascade vers la pelouse. Cette plate-forme en herbe d'un vert émeraude est calme, reposante et rafraîchissante : elle rejoint la terrasse de la maison de maître.

À GAUCHE
Parallèles à la mer, quelques marches et une allée engazonnée relient les deux maisons. Un talus aux mille fleurs (laurier rose, au premier plan à gauche; chrysanthèmes frutescens blancs, au premier plan à droite; pélargoniums lierre; gazanias orange) est dominé par les pins d'Alep. Les marches sont scandées par des pots en terra cotta, et au bord de l'à-pic, des cyprès évoquent l'Italie.

Il fallait aussi se plier à la législation locale concernant la protection des sites, car c'est un jardin que l'on voit de loin puisqu'il est situé dans la boucle d'une anse immense. Les mouvements du sol devaient être respectés tout comme la végétation en place, tout en repeuplant avec des essences indigènes. Jean Mus conserva les pins d'Alep centenaires trônant sur la falaise au nord, et au sud il planta de jeunes sujets de la même essence. Il aime ces arbres que l'on appelle aussi pins de Jérusalem, leur cime vaporeuse, leurs troncs ici tourmentés car ils vont chercher la lumière du côté de la mer, leur écorce argentée et rosée et le parfum de leurs aiguilles. De surcroît, ils s'accommodent bien des terrains secs et des embruns.

À Saint-Jean-Cap-Ferrat, la présence de la mer n'est pas vécue comme une contrainte, car même par gros temps, ce qui est rare, les embruns quelque peu salés n'atteignent que faiblement les plantes de ce jardin situé sur un promontoire. La mer est plutôt un support, un faire-valoir, un fond de palette. Aussi Jean Mus a-t-il joué avec elle pour harmoniser les couleurs du jardin où dominent le bleu, le vert, le gris et le blanc.

En bleu, il a choisi les agapanthes, le plumbago du cap bleu clair qui palisse si joliment les murs ou les clôtures, le perovskia lumineux, et naturellement la lavande. Les clochettes blanches veinées de mauve du *Solanum Jasmindides « Album »* sont charmantes lorsqu'elles dégringolent d'un muret.

En gris, il aime les santolines qu'il taille avant leur floraison, l'*Helichrysum Thianscanicum (H. Lanatum)* qui ressemble à du velours ou le *Convolvulus cneorum* aux feuilles brillantes et argentées. Ses fleurs blanches sont délicieuses. Il emploie aussi toutes sortes d'artémises.

En blanc, il utilise le jasmin à parfum, et dans ce jardin, le géranium-lierre blanc.

Il travaille beaucoup les verts et choisit des végétaux qui sont des valeurs sûres : le *Pittosporum tobira « Nana »* résiste très bien aux embruns, ainsi que la myrthe tarantine persistante qui s'orne d'une floraison blanche. Il place devant des *Nandina domestica* dont les

De cette terrasse dallée contemporaine, le regard embrasse la promenade qui longe la mer. Les colonnes palladiennes de ce lieu de repos confortable contrastent avec l'aspect sauvage du talus abrupt sur la mer.

À GAUCHE
Les marches qui montent vers la maison d'amis sont soulignées de plantes tapissantes : verveine rose, érigéron Karvinskianus et Polygonum capitatum. Au centre, une cascade de pélargoniums lierre retombe des jardinières prévues à cet effet. De part et d'autre, des pots en terra cotta rythment la descente, surmontés de lauriers montés sur tige et tapissés d'érigérons.

couleurs changent au fil des mois et passent par toutes les couleurs de l'arc-en-ciel. L'*Olearia traversii* reste une de ses plantes favorites pour son feuillage glauque et la forme de sa feuille qui ressemble à celle de l'olivier.

Les propriétaires voulaient un jardin abondamment fleuri et coloré. Jean Mus a donc ajouté des touches de rose avec le *Polygonum capitatum* qui est un couvre-sol à fleurs roses et qui se propage vite, même dans les coins les plus déshérités ; et des pointes de jaune, obtenues avec des masses d'hémérocalles et de *Cassia corymbosa*.

Le résultat est très gai, très harmonieux : grâce aux couleurs et grâce aux volumes qui s'équilibrent et sont justement proportionnés. L'Italie est à deux pas et tout l'évoque ici : la lumière, l'atmosphère, les végétaux, les escaliers, les terrasses, les pots en *terra cotta*. Le jardin est situé dans l'anse la plus chaude de la côte méditerranéenne française. Il change d'humeur avec la mer. Qu'elle soit… d'huile, moutonnante ou tourmentée, elle est à elle seule un spectacle. Et ce jardin, conformément aux goûts de Jean Mus, a été construit comme un décor de théâtre où la vie quotidienne est pensée comme une fête.

Le jardin de la Chèvre d'or

Pourquoi la Chèvre d'or ? Parce qu'en face de la bastide, de l'autre côté du chemin, se trouve une ruine romaine du même nom. Il s'y rattache une légende : une chèvre d'or garderait à jamais un trésor caché en ces murs, et quiconque s'en approcherait périrait.

Ici, c'est l'Italie. Tout l'évoque. La terre rouge de Biot, cultivée en ces lieux depuis 2000 ans (celle qui sert à façonner ces céramiques célèbres dans le Midi et dans la France entière), rappelle les tons ocres de la Toscane. Elle apparaît un peu partout dans le jardin et fait chanter les plantes. Les parfums, les terrasses en galets, le bruit de la fontaine, les plantes cultivées en pot autour du bassin, les cyprès, le tracé très architecturé, les orangers, les citronniers, tous ces éléments judicieusement mêlés créent une ambiance qui dépayse d'emblée.

À DROITE
Une allée bordée de buis dessine une perspective qui s'enfonce sous les cyprès. Et le jardin monte en terrasses, jadis utilisées pour la culture des oliviers.

CI-DESSOUS
Un bassin au pied de la maison est décoré de plantes cultivées en pots : pélargoniums à feuilles parfumées, lis regale, kumquats (Fortunella japonica). Le sol de galets est artistement dessiné.

C'est un décor inondé d'un soleil qui frappe fort en été, coiffé d'un ciel bleu sans nuage, avec comme bruit de fond le chant des cigales infatigables et le gargouillis de l'eau.

Les parfums sont omniprésents : les plantes ont été choisies pour les senteurs qu'exhalent leurs fleurs et pour leur feuillage odorant. On les froisse du bout des doigts et l'on transporte avec soi ces parfums tout au long de la visite. Les héliotropes, les jasmins, les lavandes, les romarins, la menthe, le camphrier pour parfumer les armoires, une sauge (*Salvia Rutilans*) qui sent l'ananas, un *Azara microphylla* vanillé, un *Helichrysum Italicum* à odeur de curry, toutes ces plantes embaument. Fleur Champin, la maîtresse des lieux, confectionne même des pots-pourris délicieux qui font entrer le jardin dans la maison.

Autour de la bastide, des terrasses en galets descendent doucement vers le jardin.

L'eau est extrêmement rare ici. C'est pourquoi celle du bassin circule en circuit fermé. Tout autour sont disposés des pots délicieusement fleuris : des kumquats, des frangipaniers et des plumbagos créent une ambiance toute méditerranéenne.

Et là commence le jardin proprement dit. Des terrasses, on embrasse plusieurs perspectives qui donnent de la profondeur au tracé. À gauche, un bassin est décoré de pots astucieusement plantés : des caladiums ressortent sur un tapis d'helxine. On descend vers ce bassin par un petit escalier tapissé d'un gracieux ficus (*Ficus Pumila*) qu'il faut beaucoup tailler. Et puis commence la fameuse serpentine de buis qui dessine un motif magistralement mené. Longée par un mur de cyprès presque noirs, l'arabesque de buis d'un beau vert sombre se détache sur une pelouse émeraude, et à l'intérieur de chaque boucle moutonne un tapis d'helxine doux et moelleux : cet ensemble de verts est particulièrement rafraîchissant et reposant. Avant les grands froids, des orangers rythmaient l'ensemble. Ils ont, hélas ! péri. Ils avaient grandi de conserve avec les cyprès dont l'ombre trop dense ne permet plus de renouveler une plantation d'orangers.

Un peu plus haut, à droite et parallèlement, un autre motif de buis décrit une ligne verte surmontée de petites pyramides montées sur un socle en buis. Et le regard est conduit vers une allée qui s'enfonce dans la colline, bordée encore de majestueux cyprès.

Encore plus à droite, le jardin monte en terrasse vers une partie moins civilisée, introduite par un champ d'agapanthes utilisées pour les bouquets. Toutes ces têtes rondes d'un bleu profond sont magnifiques. Plus haut, le visiteur s'enfonce dans un sous-bois méditerranéen où abondent les sujets rares : toutes sortes d'érables, de pins, de chênes (*Quercus ilex, Q. glauca, Q. coccifera*), d'eucalyptus (*Eucalyptus gunnii, E. parviflora, E. pauciflora*).

Toutefois, et bien que l'on n'en soupçonne pas l'existence de prime abord, se cachent deux jardins très savoureux. Au loin, au-delà des arabesques de buis, après avoir gravi quelques marches, on découvre le jardin de Monsieur : c'est un damier de santolines grises séparées par des carrés de sable blanc, inspiré d'un jardin que madame Champin avait visité au Japon. Tout près, se trouvent quatre rares *Acacia Riceanam (Syn. A. Verticillata)*.

Et à droite, jouxtant la bastide, dans le prolongement d'une orangerie où l'on abrite les plantes fragiles, et à l'ombre de laquelle on prend parfois les repas, se déroule un tapis de pelouse encadré de buis verts surmontés d'un alignement d'oliviers argentés taillés. Ils forment un jardin d'allure très italienne, clos : une pièce à ciel ouvert qui se ferme par une porte de verdure encadrée de deux statues. Œuvre personnelle où s'imposent le goût de l'Italie, des

À GAUCHE
Un des rares endroits où les oliviers sont taillés en haie. Associés à des buis, ils délimitent une pièce à ciel ouvert dans le prolongement de l'orangerie. Un Pinus pinea sert de point focal.

CI-DESSUS
Vue de la pièce de verdure dans l'autre sens. Au fond, une orangerie abrite une collection de plantes fragiles. À l'intérieur, les murs sont habillés de treillages et ornés de fresques.

À DROITE
Des citronniers grimpent sur des supports et donnent de délicieux citrons consommables toute l'année.

structures architecturées et des formes taillées, le jardin de la Chèvre d'or est aussi celui de l'amitié. Un ami, Basil Leng, célèbre botaniste anglais qui habitait près d'Antibes, donna à madame Champin des conseils quant au choix des plantes. La duchesse de Mouchy conseilla de tailler de petits socles de buis sous les cônes qui ponctuent le motif de buis central ; le vicomte de Noailles, qui n'arrivait jamais sans un panier de plantes, donna son sentiment ; la baronne de Waldner offrit des géraniums odorants, sir Peter Smithers des magnolias et des pivoines, et ainsi, au fil des années, ce jardin prit corps et s'embellit.

C'est un jardin où l'on hume, où l'on goûte. C'est un microcosme où on oublie le temps qui passe. Ainsi l'a voulu madame Champin : « C'est un lieu hors du monde, un lieu de rêverie. »

CI-DESSUS
Une pergola met en valeur des glycines de Chine (Wisteria sinensis) *aux fleurs très parfumées. À gauche s'impose une touffe d'echiums, appelés aussi vipérines.*

À GAUCHE
Les fleurs blanches d'un rosier de Banks tombent en pluie sur un damier de santolines grises. Au loin, une collection de glycines (Wisteria floribonda 'macrobotrys') *s'appuie sur une pergola en cannes de bambous.*

La Garoupe

L'endroit est grandiose. Le paysage est prodigieusement beau. Le château et les jardins qui se mêlent au loin à la garrigue sont cernés par la mer. On a l'impression que rien n'a dégradé les fastes d'antan. Le soleil toujours présent, la qualité de la lumière, le ciel sans nuage, l'azur de la mer créent en ces lieux une atmosphère idyllique. C'est le paradis retrouvé. Et comme le veut la devise à l'entrée, il semble qu'une fois franchies les portes de la Garoupe, on ne puisse plus être atteint par les soucis ou les difficultés de la vie quotidienne.

Lady Aberconway avait déjà exercé ses talents à Bodnant, au Pays de Galles, où elle avait créé de somptueux jardins. Au cours d'un voyage sur la Riviera, elle s'éprit du cap d'Antibes. Elle persuada son mari d'acquérir la partie est de la presqu'île (40 hectares) et y fit construire un château et des jardins merveilleux. Les travaux commencèrent au début du siècle. À partir de 1907 jusqu'à sa mort en 1934, elle vint y passer chaque hiver. Sa fille hérita de la propriété. En 1965, ce fut le tour de son petit-fils, Antony Norman, qui est aujourd'hui le maître des lieux.

Le château est d'inspiration italienne. À l'intérieur, une enfilade de plusieurs salons permet d'embrasser une perspective qui part de l'orangerie et se perd à l'infini, à l'autre extrémité, dans un immense miroir.

À GAUCHE
Cette vue est prise à l'extrémité de la longue perspective qui part de la demeure et rejoint le grand large. On a prolongé le jardin le plus loin possible, jusqu'au bord de la mer, par une balustrade et des plantes qui résistent bien aux embruns. Au premier plan, le feuillage épineux et coriace d'une agave. À gauche, en blanc, un Convolvulus cneorum *au feuillage argenté. À droite, les fleurs mauves d'une griffe-des-sorcières (*Carpobrotus edulis*). L'arbuste aux fleurs jaunes est un Medicago arborea qui peut se contenter d'un sol très sec. Cette cascade florale glisse jusqu'à la mer.*

À DROITE
*Cette vue est prise sur la première terrasse au pied de la maison. De là, on domine l'un des merveilleux parterres d'inspiration italienne où l'on a juxtaposé des santolines au feuillage gris et aux fleurs jaunes, des lavandes mauves et des romarins; les cônes sont en buis. Au premier plan, une liane aux fleurs orangées (*Steptosolen jamesonii*) enlace la balustrade. À gauche, des* Teucrium fruticans *forment deux boules grises. Et les lignes verticales des cyprès sombres s'opposent aux formes arrondies des pins parasols.*

Des pièces de réception, le château est transparent. D'un côté se déploie la baie de Nice surmontée des sommets enneigés des Alpilles et, de l'autre, le regard plonge sur le grand large enjolivé d'une crique et de quelques rochers. Un vaste escalier aux marches indéfiniment longues descend doucement vers la côte, rythmé de cyprès.

Autour du château s'étend le jardin proprement dit. Au-delà, c'est la garrigue avec ses cistes, ses arbousiers, ses plantes aromatiques, ses conifères nains, ses milliers de freesias blancs naturalisés qui embaument au printemps et ses cyclamens de Naples. Elle est dominée, çà et là par des pins parasols dont les formes arrondies contrastent joliment avec les cyprès longilignes.

Mais revenons au jardin. On y accède en sortant du château, au sud, par une terrasse où vous accueillent des orangers en pleine terre et un *Cestrum nocturnum* : ses fleurs s'ouvrent dans l'obscurité et diffusent un parfum délicieux (*night-scented jasmin*). Cette terrasse est bordée d'arbustes, parmi lesquels une collection d'hibiscus, d'abutilons, d'abelias, de lauriers-roses et de daturas blancs, jaunes (*Datura chlorantha*) ou roses (*D. sanguinea*) simples ou doubles qui restent en terre tout l'hiver.

Alors apparaissent les deux grands parterres qui, de part et d'autre de l'allée centrale, décrivent des motifs géométriques d'une grande beauté. Ils sont inspirés de ceux de la Piazza del Popolo à Rome. Au centre, un cercle de buis est ponctué de cônes de buis, et de là partent en étoile de grands triangles remplis de santolines grises, de lavandes (*Lavendula pinnata*) et de romarin régulièrement taillés et maîtrisés. C'est l'une des gloires de la Garoupe.

La promenade continue vers une pergola envahie de jasmins, de passiflores, de *Solanum crispum*, de campsis, qui longe plusieurs pièces de verdure : l'une renferme un jardin blanc rafraîchissant; une autre possède en son centre une piscine entourée d'un joli tapis vert de pelouse et de bordures fleuries où s'épanouissent des touffes d'arums, de myrtes et de *Argyranthemum Frutescens*; un troisième petit jardin de curé se découpe en parterres rectangulaires qui entourent un astrolabe.

À GAUCHE

Entre la pergola et la maison, un Pyrrus salicifolia « Pendula » adoucit une débauche de pélargoniums lierre hauts en couleur. Derrière, un datura aux fleurs jaune pâle s'appuie sur une bougainvillée palissée contre le mur. Une bordure de santoline grise taillée souligne l'ensemble et marque les allées.

CI-DESSUS

Cette allée part de la demeure en direction de la baie de Nice et des sommets enneigés des Alpes. De part et d'autre de l'escalier, deux touffes de cyccas réunissent plusieurs sujets d'un âge vénérable. À gauche : des pins d'Alep et des eucalyptus. En bas, des cercis en fleur se mêlent au feuillage argenté des oliviers.

À DROITE

Un citronnier est palissé contre les murs de la demeure et donne des fruits à profusion. Venu d'Asie, il se plaît dans une situation chaude et ensoleillée. Son feuillage est persistant et sa floraison blanche embaume.

À l'opposé, et pour fêter ses noces d'or, Antony Norman vient de créer un jardin jaune où il a rassemblé des mimosas en abondance, des *Phlomis fruticosa*, plusieurs *Gleditsia triacanthos* « Sunburst », *Cornus alba* « Aurea », *Philadelphus Coronarius* « Aurea », *Helianthemum* « Golden Queen » et des rosiers en tiges « Solidor » de chez Meilland.

Un autre jardin totalement différent du premier s'étend au nord, en contrebas, du côté de la baie de Nice. Des allées quadrillent l'espace. Elles sont bordées d'oliviers pluricentenaires échevelés, gris argenté, aux troncs noueux. Ce jardin a été conçu pour être glorieux au printemps. Il faut imaginer la féerie des fleurs sur un fond de ciel bleu et de mer turquoise. Les prunus fleurissent en même temps que les magnolias (*Magnolia delavayi*, *M. wilsonii*), à l'intérieur des carrés décrits par les rangées d'oliviers. Puis s'épanouissent les

À DROITE
Des allées bordées d'oliviers pluricentenaires quadrillent le jardin du côté de la baie de Nice. Ils ne sont pas taillés, à la différence de ceux que l'on cultive pour produire des olives. Ici, leur feuillage pousse en liberté et, par contraste, met en valeur le graphisme noir de leur ramure. À leur pied, des milliers d'iris de Provence gardent leur beauté intacte d'année en année. Plus tard, ils sont relayés par un tapis de cyclamens roses.

CI-DESSUS
Merveilleuse floraison de très vieux arbres de Judée sur un fond d'oliviers. À leur pied, le sol est colonisé par des antholizas orangés.

fleurettes blanches des spirées, les cercis, et des milliers d'iris bleus (*Iris germanica*) plantés au pied des oliviers décrivent de larges bordures de part et d'autre de chaque allée. Ils sont relayés ensuite par un tapis de cylamens de Naples roses.

Et l'on remonte vers le château par une allée majestueuse qui se termine sur deux cycas : ces plantes originales sont extrêmement rares. Elles sont originaires de Madagascar, et forment des touffes de feuilles pennées persistantes qui ressemblent à celles des palmiers. Ce sont des plantes fragiles, mais le climat est si doux à la Garoupe qu'elles restent en terre toute l'année.

Ainsi s'achève cette visite. Et ce séjour laisse le souvenir indélébile d'un univers merveilleux et hors du temps.

La Serre de la Madone

À GAUCHE
La patine des années et la végétation naturelle – le lierre et les lichens – recouvrent les fantômes d'une vie passée.

À DROITE
Un bassin prolonge la piscine. En son centre, une statue. Tout autour, des nénuphars et des papyrus. À l'ombre des pins, un labyrinthe de haies structure l'espace à l'emplacement de l'ancien vignoble. Au fond, l'immense maison est palissée de figuiers : Lawrence Johnston racontait qu'il avait rapporté ces boutures de ses nombreux voyages.

Lawrence Johnston, le créateur d'Hidcote, s'installa à Menton dans les années 20 : il ferait de la Serre de la Madone son jardin d'hiver. Sur une colline plantée jadis de vignes et d'oliviers, il dessina un chef-d'œuvre, dont on peut imaginer le charme tant il a été loué par ceux qui l'ont connu. Lawrence Johnston était un grand esthète, un architecte dans l'âme, un homme cultivé et raffiné. C'était aussi un grand voyageur et un chasseur de plantes émérite.

Lorsqu'il s'installa dans la vallée de Gorbio, Lawrence Johnston s'attacha tout d'abord à enrichir la terre grâce à des apports considérables de fumier. Dans la région, le sol est souvent appauvri par l'érosion. Mais ici, sa tâche fut facilitée car, à l'endroit de l'ancien vignoble, la terre avait été jadis bien amendée.

Il fallait ensuite trouver de l'eau pour irriguer le jardin et alimenter les fontaines et les bassins : il fit construire d'immenses citernes qui accueillirent l'eau de pluie.

Enfin, pour retenir le terrain, il fit construire des terrasses, et afin de se protéger du vent, installa des haies de cyprès, de pins d'Alep et de Corse.

De ses nombreux voyages lointains en Chine, au Japon et au Yunnan, il rapporta des trésors : des mahonias très florifères (*M. loma-*

CI-DESSUS
Les allées du jardin mènent toutes quelque part. Celle-ci conduit à un bassin ancien surmonté d'un angelot et planté de papyrus. La promenade se poursuit derrière à flanc de coteau.

À GAUCHE
Entre la maison et la piscine, un balcon de verdure surplombe les bassins. Les lignes verticales des cyprès de Provence font songer à l'Italie.

riifolia, *M. duclouxiana*), dont il ramassa les graines. Leurs fleurs, plus grandes et plus droites que celles du *M. japonica*, embaument. Ces mahonias se ressèment partout dans le jardin. Il revint aussi avec une collection de pivoines arbustives provenant du Japon : doubles ou semi-doubles, elles bordent une allée d'oliviers. Blanches, rose pâle ou rouge profond, elles accompagnent des pivoines herbacées simples venant de chez Lemoine, à Nancy. Enfin, du Japon, il revint avec plusieurs glycines dont *W. floribonda* « Violacea plena grandiflora », aux fleurs immensément longues, et *W. multijuga* « Rosea », aux inflorescences rose pâle.

Entrons dans ce jardin qui fut une œuvre d'art. Il faut imaginer l'endroit immergé dans un nuage de mimosas, de *Mahonia lomariifolia*, de cercis blancs ou mauves, constellé de magnolias (*M. campbell*, *M. liliflora*), envahi de clématites dont la jolie *C. armandii*, de daturas (*D. arborella*, *D. sanguinea*, *D. suaveolens*) ou d'*Amaryllis belladonna* naturalisés ; et Lawrence Johnston parcourant ces allées, toujours accompagné de ses chiens, et accueillant les personnages les plus illustres de son temps.

À GAUCHE
Les plantes croulent sous le poids des ans. Les lianes s'enchevêtrent et partent à l'assaut de supports inattendus. Ici, un Dasylirion acroticum au feuillage pointu est encore debout; un autre ressemble à un serpent ondulant dans la jungle. Des Pelargonium hederaefolium *colonisent les terrasses.*

CI-CONTRE
On ne peut rester insensible au charme des vieilles pierres insérées dans le jardin par Lawrence Johnston, noyées dans une végétation luxuriante. Ici, cette porte ancienne marque un passage dans la colline.

EN BAS
Un escalier moussu, bordé de fuchsias cultivés en pots et perdus dans les herbes folles, mène vers le haut à un pigeonnier, et vers le bas à la grande maison.

Le château du Vignal

Sur les collines traditionnellement parfumées de Grasse, tapissées depuis longtemps par un patchwork de champs odorants, avec un « bout » de vigne par-ci, un « bout » de *Rosa centifolia* ou de lavande par-là (comme disent les Provençaux), se trouve celui que l'on appelle le château du Vignal. En fait, ce n'est pas un château. C'était, vers les années 1650, un relais de poste. Puis cette vieille demeure devint une maison de maître trônant au milieu d'un immense domaine agricole. La propriété fut rachetée, il y a quelques années, par un amateur de jardin néerlandais qui chargea le paysagiste Jean Mus d'ordonner les lieux. Son objectif premier fut d'intégrer le jardin dans le paysage environnant, en utilisant des végétaux autochtones et des plantes parfumées, tout en lui donnant un petit côté italianisant qui évoquerait la campagne toscane.

En arrivant, et à travers une jolie grille sobre et classique, on perçoit le premier jardin qui mène à la vieille bâtisse. Le tracé est régulier, d'influence italienne, et rappelle l'ordonnance des parcs qui introduisent les bas-

À GAUCHE
Dans la cour, l'une des entrées de la demeure est encadrée de deux pots en terra cotta où prospèrent des Camellia sassanqua « Rosea ». Les murs sont palissés de vigne vierge.

À DROITE
En sortant de la piscine, quelques marches sinueuses se faufilent parmi les bambous Bambusa metake (à gauche) et les cordylines (à droite). Le feuillage lancéolé des cordylines est associé au feuillage découpé d'un Pittosporum tobira « Nana ». Derrière les deux troncs, un Griselinia littoralis forme un dôme vert. Plus loin, les oliviers et les cyprès évoquent un décor méditerranéen.

PAGES SUIVANTES
Dans toute sa sobriété, cette association d'oliviers et de lavandes est un pur chef-d'œuvre. Le bleu des lavandes rappelle celui du ciel. Le feuillage argenté des oliviers fait chanter le feuillage gris des lavandes. Utilisées en masses, ces deux essences traditionnelles s'harmonisent avec les lieux. Le parfum qui s'exhale de cette mer d'azur donne une autre dimension à cette scène et en accentue son charme.

tides d'Aix-en-Provence. Jean Mus a respecté l'alignement des platanes centenaires qui dessinent une allée, rythmée de petits cônes de buis vert sombre. Au fond, une cour s'ordonne autour d'un bassin ancien et laisse entrevoir les tuiles rondes typiquement méridionales du château du Vignal.

De l'autre côté de la demeure, au-delà d'une terrasse très italienne plantée de cyprès, le jardin s'ouvre sur les collines de Grasse. Et là, on entre dans un jardin au tracé libre et sinueux : les pourtours d'une vaste pelouse sont plantés d'énormes massifs de plantes aux feuillages argentés (santolines, romarins, lavandes, *Phlomis fruticosa*, *Elaeagnus ebbingei*) rythmées de cyprès rectilignes et sombres.

Il s'agit du *Cupressus sempervirens* « Pyramidalis ». N'aimant pas le froid, il est cultivé dans le Bassin méditerranéen depuis des temps immémoriaux. Les cyprès font partie du paysage. Comme l'explique Jean Mus, leurs racines fixent les terres et l'on peut dire qu'ils sauvegardent le patrimoine méridional comme des sentinelles. Ils sont toujours là, contre vents et marées, ils bougent à peine les jours de mistral et ne sont pas vulnérables ; ils sont puissants et créent des lignes de force. Dans l'imagination de chacun, leur silhouette verticale et leur ombre portée dessinent un rythme indispensable. Le cyprès est partout présent autour du château du Vignal. Si l'on regarde là-bas sur les collines à la ronde, que verra-t-on ? Les traits verticaux vert sombre, presque noirs, des cyprès et les formes rondes et argentées des oliviers.

Une piscine, à gauche, surplombe Grasse. Autour, Jean Mus a créé une atmosphère plus exotique en insérant des palmiers, des cordylines et des bambous. Et quelques *Pittosporum* qu'il adore, particulièrement le *Pittosporum tobira* « Nana » : c'est un petit arbuste qui crée de jolis volumes en forme de dômes toujours verts. On le taille légèrement pour qu'il soit bien dense. En mai, sa floraison discrètement blanche diffuse un parfum délicieux qui rappelle celui de la fleur d'oranger. Il est particulièrement heureux sous ce climat.

Puis on entre dans le jardin provençal. C'est un chef-d'œuvre : d'une sobriété toute

naturelle, il s'intègre parfaitement dans le paysage par ses formes, ses volumes, la présence de plantes indigènes, comme les oliviers et les lavandes, ses couleurs et ses parfums. Grâce à ce savant alliage d'éléments délicieux, Jean Mus a créé une scène très poétique qui n'est pas sans rappeler la Toscane. Il faut noter que dans ses choix, Jean Mus a été formé, entre autres, par deux grands paysagistes : Russell Page et Tobie Loup de Viane.

Russell Page travailla beaucoup dans le sud de la France, pour des Anglais, notamment, venus chercher sur la Côte d'Azur ce qu'ils ne trouvaient pas dans leur propre pays : le soleil et la chaleur.

Tobie Loup de Viane a également œuvré dans le Midi, et Jean Mus ne tarit pas d'éloge sur ce paysagiste aujourd'hui disparu. Il était né dans le Sud, dans les Cévennes. Chasseur de plantes, il avait réintroduit des espèces végétales abandonnées comme le *Perovskia*, et savait merveilleusement les intégrer dans la végétation autochtone. Jean Mus, dont l'arbre généalogique s'enracine dans cette terre ensoleillée,

a des couleurs favorites : le bleu, le blanc, le gris. L'azur du ciel, l'écume de la mer Méditerranée et le feuillage argenté des oliviers. C'est un arbre toujours présent dans l'arrière-pays niçois.

Jean Mus y est très attaché et l'utilise beaucoup dans ses jardins. Bien souvent, il l'associe à des lavandes qu'il emploie en masses, en vagues sinueuses d'un bleu doux. Pour cela, il a recours à la lavande vraie, *Lavandula vera*, que l'on appelle aussi « Dutch Lavender ». Il suffit d'imaginer le parfum qui s'exhale de cette scène aux tonalités si harmonieuses pour être charmé.

Au château du Vignal, dans ce jardin pastoral entouré d'oliviers, de cyprès, de champs parfumés et de pâturages où les moutons transhumants viennent encore se nourrir, ce décor est en harmonie avec les lieux. Il semble qu'il ait toujours été là : et c'est le plus beau compliment que l'on puisse faire à Jean Mus. Ici, tout est authentique, rien ne choque, l'architecte-jardinier se fait le complice de la nature et son intervention passe inaperçue.

La nature apprivoisée

Ici, la nature est elle-même. Aucun tracé élaboré, aucun élément sophistiqué ne vient en altérer la beauté. Une beauté pleine de spontanéité que l'homme-orchestre a respectée jusqu'à la vénérer et s'en inspirer. La princesse Sturdza, au Vasterival, voue un culte à la Nature : dans ce jardin, les sinuosités sont pleines de simplicité et les plantes, chéries et choyées, sont associées avec naturel et poésie. Gilles Clément, dans son jardin creusois, sait à la fois tirer parti de la beauté sauvage et jouer avec ses forces négatives. À Cherbourg, les plantes méditerranéennes et subtropicales sont si heureuses qu'elles semblent avoir toujours vécu sous cette latitude. Dans ces édens, l'intervention du créateur se veut effacée. Il est pourtant le magicien de ces jardins qui vibrent à longueur d'année et ne sont jamais tristes, même quand la saison les a dépouillés. Il semble qu'un heureux hasard les ait composés.

Le Vasterival

Varengeville-sur-Mer, près de Dieppe, séduit les peintres pour sa lumière et les jardiniers pour son climat : c'est celui du Devon transposé outre-Manche. Conquis depuis toujours par le pays de Caux, le prince et la princesse Sturdza décidèrent de s'y installer en 1957, avec l'idée d'y créer un jardin qui serait beau toute l'année. Le pari était difficile, et il a été gagné.

Le Vasterival vit au rythme des saisons, et chaque jour, le spectacle est au rendez-vous. C'est un jardin de sous-bois qui se fond dans la douceur normande. La nature s'y exprime sans contrainte : la souplesse des vallonnements, la sinuosité des allées, les ondulations des plates-bandes dessinent un paysage en tout point fidèle à un décor sauvage. L'absence d'ornement artificiel (arceaux, pergolas, potées, statues, bassin, art topiaire ou banc) est éloquente : la princesse Sturdza voue un véritable culte à la nature.

Le Vasterival est l'antithèse d'un jardin conçu par Gertrude Jekyll, qui donnait à chaque pièce de verdure un thème saisonnier. Ici, chaque plate-bande offre au regard un intérêt tout au long de l'année. Car les plantes sont si variées que les scènes se succèdent à l'infini. Et surtout, la princesse Sturdza a étagé les végétaux selon quatre niveaux : en bas, les bulbes (perce-neige, crocus, scilles, fritillaires, narcisses, colchiques) et les plantes couvre-sol (*Cornus canadensis*, epimedium, tiarella, *Pulmonaria repens*, omphalodes) tapissent joliment la terre ; puis viennent les plantes vivaces aux floraisons glorieuses ; ensuite, les arbustes ; et enfin, les arbres qui jouent un rôle protecteur et sont beaux grâce à leur ramure, à leur feuillage, à leur écorce, à leurs fleurs, à leurs baies et à leurs fruits.

Le Vasterival est par excellence le jardin des quatre saisons. En hiver, il est d'une beauté étonnante car la moindre fleur est mise en valeur par une toile de fond d'arbres ou d'arbustes persistants. Rien n'a été laissé au hasard, les effets ont été savamment pensés. Les *Crocus tomasinianus*, les hellébores de Corse, orientales, fétides, *niger* ou *sternii*, les bruyères du groupe *carnea*, les *Camellia japonica*, *reticulata* et *williamsii*, les *Hamamelis mollis* et *intermedia*, les skimmias dont le rare *Skimmia fructo* « Albo », quelques rhododendrons hâtifs comme « Christmas Cheer », *Rhododendron dauricum*, *R. racemosum* ou *R. praecox* se mêlent aux écorces rares des bouleaux (*Betula nigra*, *B. albo* « Sinensis », *B. papyrifera*) et des acers (*Acer griseum*, *A. davidii*, *A. pensylvanicum*). C'est à cette saison que le paysage de sous-bois offre toute sa splendeur. La forêt n'est pas triste en hiver, le Vasterival non plus. Et même dans la froidure ou dans la grisaille hivernales, les parfums ici embaument : les *Mahonia japonica*, *M. lomariifolia*, « Charity » ou « Lionel Fortescue », le *Chimonanthus praecox*, le *Daphne mezereum* ou le *Corylopsis pauciflora* diffusent des senteurs délicieuses.

Puis au début du printemps s'éveillent les prunus, les malus et les magnolias : et là, le spectacle est féerique car leurs fleurs se complètent. Le brouillard impressionniste des

À GAUCHE
*Les couleurs printanières
sont joliment orchestrées.
Des sceaux-de-Salomon se
penchent sur un tapis
d'Astrantia major et de
scilles campanulés au
premier plan. À gauche, une
azalée japonaise rose
soutenu 'Hinodegiri', est
associée à un rhododendron
halopeanum. À droite, une
azalée mollis blanche et
jaune pâle se détache sur
une azalée jaune. Derrière à
droite, un Rhododendron
griffithianum est associé au
R. 'Pink Pearl'.*

À DROITE
*Au printemps, des
rhododendrons offrent un
spectacle féerique dans le
sous-bois : ici, le
Rhododendron griffithianum
aux grandes fleurs blanches
est entouré du R.
fastuosum, du R. 'Jock'
rouge et du R. 'Pink Pearl'.*

À DROITE
*Dans le sous-bois, des
Primula japonica et des
hostas panachés poussent à
l'ombre des pins maritimes
et des rhododendrons
hybrides de pontiques. À
gauche, derrière le large
feuillage vernissé du R.
crinigerum, on distingue la
floraison orangée d'une
azalée 'Glowing Amber'.*

157

CI-DESSUS
Le Vasterival est le jardin des quatre saisons. À la fin de l'été, en descendant vers la vallée, le spectacle continue avec des hydrangéas à fleurs plates blanc-bleu, sélection 'Vasterival', associées à des crocosmias au feuillage lancéolé et à des fougères à l'extrême droite.

À GAUCHE
Les hydrangéas 'Générale Vicomtesse de Vibraye' sélection 'Vasterival' sont glorieuses dans le sous-bois : la princesse Sturdza a choisi les plus beaux clones, les a multipliés et nourris à sa façon, si bien qu'ils sont chez elle au sommet de leur beauté.

premiers met en valeur la floraison spectaculaire des seconds, dans les mêmes tonalités rosées. Certains spécimens rares, comme le *Magnolia dawsoniana*, offrent des fleurs d'une exceptionnelle beauté par leur taille et leur couleur. La princesse Sturdza savait en le plantant qu'il faudrait attendre seize ans pour voir sa première fleur : quelle récompense! Viennent ensuite les azalées et les rhododendrons : les espèces botaniques comme *Rhododendron yakushimanum, R. luteum, R. reticulatum* sont les plus belles, pour leurs fleurs et leur feuillage distingués. Ils sont dominés par de vénérables pins maritimes qui leur servent de protection.

Les rosiers, les plantes vivaces et les hydrangéas animent le spectacle de l'été. En automne, les bruyères, les fleurs plates du sédum « Autumn Joy », les têtes rougeoyantes de l'*Hydrangea serrata* Preziosa se mêlent aux feuillages flamboyants des acers (*Acer Palmatum Heptalobum* « *Osakazuki* » *A. Palmatum* « *Senkaki* » *A. p.* « *Chishio Improved* »), aux baies des sorbiers (*Sorbus hupehensis, S. cashmiriana*) ou aux petites pommes du malus « Crittenden ».

Un jardin de huit hectares ne s'aménage pas en un jour. Il a fallu une vingtaine d'années pour l'amener à maturité. Quel courage, quelle vigilance, quelle persévérance! Le défrichage ne fut pas une mince affaire. La terre n'était pas de bonne qualité : argileuse, sableuse, caillouteuse. En revanche, la douceur du climat était favorable et l'humidité, source de fécondité; mais les vents soufflant de la mer étaient redoutables. La princesse Sturdza dépensa beaucoup d'énergie à constituer des rideaux de végétaux protecteurs : houx, cyprès de Leyland, lauriers et rhododendrons pontiques jouent désormais parfaitement leur rôle.

Dès l'entrée, une forêt de rhododendrons sauvages donne le ton : la maison normande apparaît, et son architecture se prolonge discrètement par une haie d'ifs sombres sur lesquels se détachent, en mai, les fleurs géantes de plusieurs pivoines arbustives (sélection du professeur Saunders), sous-plantées de scilles campanulés, de tulipes, d'aconits et d'acers. De là, une allée moelleuse mène au Sous-bois où les fûts des pins maritimes dessinent des lignes verticales contrastant avec le moutonnement des camélias et des rhododendrons. Derrière la maison, descend doucement une pelouse qui appelle le regard vers la Vallée : prunus, magnolias, sorbiers, acers et bouleaux dominent une multitude de plates-bandes qui se déroulent harmonieusement au cours de la promenade. En bas, le ruisseau se festonne de plantes aquatiques : les énormes feuilles découpées du *Gunnera manicata* contrastent avec les feuilles lancéolées des iris de Sibérie, des *Iris pseudoacorus*, ou avec les feuilles charnues du lysichitum, ou avec le feuillage rond du *Ligula-*

CI-DESSUS
La princesse Sturdza associe les plantes en harmonies et en contrastes : ici, elle a rassemblé, en descendant vers la vallée, Hydrangea paniculata « *Floribunda* », Cotinus 'Royal Purple', Hosta sieboldiana « *Glauca* » *et* Lobelia cardinalis *aux fleurs rouges.*

ria desdemona ou des *Petasites japonica* et *fragrans*. En été, les fleurs des iris de Kaempfer semblent se poser comme des papillons sur les astilbes roses.

La plupart des plantes se plaisent en milieu acide, et cette unité dans la diversité contribue à créer un ensemble harmonieux et cohérent. Ce paysage sylvestre appelle les plantes que l'on trouve dans la nature. En effet, au Vasterival, les plantes sauvages abondent : les violettes, les bruyères, les fougères, les jacinthes des bois, le sceau-de-Salomon, les digitales et les fougères peuplent les plates-bandes à profusion. Certes, la princesse Sturdza possède de très belles collections d'espèces rares. Mais, avant tout, elle souhaite que les plantes s'harmonisent joliment. Elle les assemble par thème de couleur, créant ici une plate-bande rose, là une plate-bande jaune, les associe en harmonie et en contraste et sait jouer avec la texture des feuillages.

Au Vasterival, les plantes sont plus belles, plus grandes, plus vigoureuses. En un mot, on les sent heureuses. La princesse Sturdza sait créer une impression de profusion en plantant en masses, tout en laissant à chaque plante l'espace vital qui lui est nécessaire pour se développer à son aise. Chacune est épanouie,

À GAUCHE
L'Aralia elata est beau toute l'année : son tronc, ses fleurs et ses fruits bleu foncé sont remarquables.

CI-DESSOUS
Cette scène d'automne se compose d'Hydrangea hortensis 'Sélection Vasterival' (un blanc pur qui rosit en automne à gauche, et un bleu qui rougit à droite), d'un ciste au milieu, et du feuillage flamboyant d'un Nyssa sinensis.

À DROITE
En automne, l'hamamélis 'Diane' s'associe au sédum 'Autumn Joy', et aux Erica tetralix blanches. À droite, on remarque une touffe de grande bruyère Erica terminalis « Stricta », et derrière, le feuillage sombre d'un Zelkova serrata.

comprise, aimée, nourrie ; protégée s'il le faut pendant deux ans, pas davantage. Aucune n'est rentrée, toutes restent en pleine terre. Évidemment, la force de ce jardin réside dans la technique du « mulch » que la princesse manie avec maestria. Chaque année, à l'automne, des tonnes de terreau recouvertes de feuilles mortes et d'aiguilles de pin sont déversées sur les plates-bandes. Cette technique réunit tous les avantages. Le mulch est une nourriture de choix pour les plantes. Par ailleurs, il les protège contre le froid et la sécheresse ; nul besoin de pailler les plantes fragiles, nul besoin d'arroser même s'il ne pleut pas pendant des mois. Enfin, le mulch combat les mauvaises herbes ; au Vasterival, les mauvaises herbes n'ont pas droit de cité. Ainsi, à longueur d'année, les plates-bandes sont propres et les plantes installées dans les meilleures conditions possibles. La

CI-DESSUS
L'hamamélis mollis, espèce type, embaume en hiver. C'est un des premiers à fleurir : il peut être en fleur dès le 15 décembre.

À DROITE
Les contrastes de formes et de textures sont aussi très étudiés en hiver : ici, les houx (Ilex aquifolium argenté au premier plan et doré derrière) s'opposent aux rhododendrons. Les houx forment des fruits rouges à Noël.

princesse Sturdza attache beaucoup d'importance à la plantation, conformément à l'adage
anglais : « One shilling for the plant, ten
shillings for the planting. » Les plates-bandes,
une fois établies, ne sont ni bêchées, ni retour-
nées. La princesse les ameublit avec son trident
et laisse la nature travailler pour elle : l'hiver, les
vers de terre montent et descendent et aèrent le
sol. De l'aube au crépuscule, la princesse
Sturdza travaille au jardin, aidée d'un jardinier,
d'une disciple fidèle et de quelques stagiaires.

Pour les uns, la nature est un jardin. Pour
d'autres, un jardin doit se démarquer de la
nature. Entre ces deux extrêmes, où se situe le
Vasterival ? Posons que c'est un jardin naturel,
avec la poésie en plus.

CI-DESSUS
De jolies scènes hivernales
émaillent les plates-bandes
en descendant vers la vallée :
des ellébores orientales
blanches et pourpres
'Sélection Vasterival' se
détachent sur les tiges rouges
d'un Cornus alba
« Westonbirt ».

Dans le Gâtinais

Ici la forêt s'est laissée apprivoiser. Elle a imposé son style, et on l'a respectée. Mais on l'a civilisée, avec un sens du raffinement qui lui confère élégance et distinction. Ce jardin de sous-bois délicat est le carrefour de plusieurs influences. La forêt de Fontainebleau, monsieur et madame Pierre-Brossolette, Tobie Loup de Viane et Édouard d'Avdew y sont pour beaucoup.

Dans les années soixante-dix, monsieur et madame Pierre-Brossolette firent l'acquisition de plusieurs parcelles en lisière d'une forêt, pour y implanter une maison traditionnelle et une piscine. Ils firent appel au paysagiste Tobie Loup de Viane pour les aider à structurer les alentours de la maison et de la piscine. Plus tard, à l'occasion de l'achat de plantes de qualité dans les pépinières d'Édouard d'Avdew, ils se lièrent avec ce dernier, dont ils sollicitèrent les conseils.

Madame Pierre-Brossolette se passionna pour le jardin. Membre de plusieurs associations, dont les Amateurs de jardins et l'Association des parcs botaniques de France, elle visita les lieux les plus célèbres, fit la connaissance des jardiniers les plus influents et des plantes qui bientôt orneraient son domaine. Elle s'inspira du jardin du comte et de la comtesse de La Rochefoucauld qui lui fournirent bon nombre de bruyères, et rencontra maintes fois la princesse Sturdza. Autour de la maison, elle voulait des valérianes (*Centranthus ruber*) et des plantes à feuillage gris (lavandes, *Phlomis fruticosa*, *Senecio « Sunshine »*). Elle fit part de ses choix à Tobie Loup de Viane et le chargea d'en orchestrer les plantations.

Ainsi entre en scène un paysagiste qui avait le goût du détail raffiné, des couleurs subtiles et des plantes recherchées. Il habilla la maison d'une foule de lianes délicates ou spectaculaires. Au pied, il inséra des végétaux qui forment de véritables bouquets d'accueil. En arrivant, sur la façade nord, se trouvent associées des plantes qui se plaisent à l'ombre : un *Hydrangea petiolaris* se mêle à un *Schizophragma hydrangeoides* si rare en France. Ce dernier est d'une santé éclatante. Palissé sur un treillage en châtaignier conçu par Tobie Loup de Viane, un *Ginkgo biloba* étend ses feuilles

CI-DESSUS
On aperçoit la maison à travers de vastes plates-bandes qui ménagent des percées. Elles sont tapissées de plantes couvre-sol : épimédium, rubus, lierre. La maison est recouverte de lianes et s'intègre parfaitement dans ce jardin naturel.

À GAUCHE
Un chemin herbeux court à travers le jardin entre des plates-bandes plantées de couvre-sol et de végétaux acidophylles, parmi lesquels des Cornus kousa, C. rubra et C. nuttalii se plaisent sous le couvert d'arbres indigènes. À gauche, la pomme de pin fut dessinée par Loup de Viane.

originales. Au pied, le rhododendron « Gomer Waterer » accompagne des azalées, des pieris, des camélias et des kalmias. Toutes ces plantes forment maintenant de très belles masses sombres qui font chanter la pierre chaleureuse de la maison. À l'est, les énormes feuilles d'une aristoloche recouvrent le mur, et des houx assurent une présence permanente. Au sud, les valérianes et les feuillages gris soulignent une multitude de végétaux palissés : le feuillage luisant et très présent d'un *Magnolia grandiflora* contraste avec la légèreté d'une vigne (*Vitis aconitifolia*), une glycine, plusieurs rosiers (« Albertine », « Aloha », « Wedding Day », « New Dawn », « Banks ») se mêlent à des clématites (« Alpina », « Mme Lecoultre » et « Perle d'Azur »). Le bleu est la couleur favorite de madame Pierre-Brossolette. Dans la maison, où elle exerce ses talents de décoratrice avec grand succès, comme à l'extérieur, elle a choisi des harmonies où domine le bleu ; le rose, le mauve et le blanc l'accompagnent. Et ce bleu partout est très beau : un bleu gai, rehaussé, avec des rappels à l'intérieur comme à l'extérieur (clématite « Perle d'Azur », géranium

À GAUCHE
Le jardin de sous-bois, avec son tracé sinueux et ses plantes sylvestres, commence devant la maison. Au pied des nothofagus au feuillage persistant qui assurent une présence permanente, un tapis de bruyères; des bruyères d'hiver à feuillage jaune et à fleurs roses « Jacques Brumage » se mêlent à des daboecia aux clochettes blanches qui s'épanouissent en été. Parmi les troncs des nothofagus, on aperçoit le feuillage panaché d'un fusain (Euonymus). Sur la maison, de gauche à droite, on devine, palissés : trois Magnolia grandiflora au feuillage vernissé persistant très opulents; une petite vigne toute en légèreté grâce à son petit feuillage découpé (Vitis aconitifolia); et deux rosiers : à gauche de la fenêtre, « New Dawn », et à droite de la fenêtre, « Albertine ».

CI-DESSOUS
La terrasse près de la maison s'enferme d'un petit muret sur lequel s'appuient des arbustes à feuillage gris comme des Senecio 'Sunshine', ou des Phlomis fruticosa, et des potentilles. Une cépée de Nothofagus au feuillage léger et persistant assure une présence toute l'année. À travers les troncs, on aperçoit une vaste pelouse et le jardin de sous-bois.

« Johnson's Blue », céanothes de toutes sortes, *Buddleia* « Lochinch », bruyères mauves, tapis de pervenches, *Vitex agnus-castus,* rhododendron « Gomer Waterer » blanc lavé de mauve, lavandes, plumbago en pots, géraniums odorants dans des porcelaines de Chine sur la terrasse. Ce bleu crée une atmosphère reposante qui vous charme et vous suit.

Tobie Loup de Viane a également laissé son empreinte autour de la piscine. Il a dessiné un banc, entourant un pin, en Iroko qui a été ensuite réalisé sur mesure. Il a disposé des masses sombres et rondes de buis et de *Cryptomeria globosa* statiques qui tranchent avec le tremblement de l'eau turquoise. Et puis, dans le sous-bois, il a dessiné un pavillon en bois octogonal, surmonté d'un gland de chêne en terre cuite, et qui sert de rangement pour les instruments de jardin.

Édouard d'Avdew eut l'idée d'entourer ce pavillon d'une haie basse en ifs de la même forme octogonale. Entre cette haie et le pavillon, il a disposé une collection de pivoines arborescentes. Mais surtout, il fut chargé d'améliorer et d'amplifier les liaisons entre les différentes parties du jardin. Très respectueux des volontés de la nature, il souhaita conserver la forêt dans le jardin puisqu'elle est omniprésente alentour, tout en ménageant des ouvertures sur les bois voisins; comme si le jardin n'avait pas de limites. Il traça de grands axes, ouvrit des perspectives, inséra de grandes coulées de plantes à l'échelle des paysages de forêt, donna l'illusion que les clôtures avaient disparu. En créant, grâce à des scènes successives, un premier, un deuxième et un troisième plans, il conduisit le regard au loin. Par ce truchement, il agrandit le jardin alors que la surface réelle ne s'était pas étendue. Par ailleurs, il fit arracher des végétaux trop courants (comme des rhus, des spirées), conserver des sujets indigènes (pins sylvestres, chênes), insérer des arbres certes plus recherchés mais tout en étant dans la même tonalité, aux écorces intéressantes (*Betula albo sinensis « Septentrionalis »*) ou aux feuillages d'automne plus spectaculaires (*Cornus florida, C. kousa « Chinensis »*). Puis, dans les sous-bois, il prolongea les plantes couvre-sol (pervenches, rubus, lierre) qu'il installa aux pieds des azalées ou des rhododendrons utilisés en masse.

Et c'est vrai, on a l'impression que les plantes sont là depuis toujours, tant elles s'intègrent bien à l'atmosphère originelle des lieux. Édouard d'Avdew explique ses choix : « Je recherche un effet très naturel. Bien sûr, il existe différentes écoles. Mais pour moi, la nature ne se prête pas à la fanfaronnade. Il faut très peu voir l'intervention de l'homme. Il faut suggérer, c'est tout. »

Il a lui aussi dessiné un banc en teck arrondi pour le jardin de fleurs à couper. C'est

CI-DESSOUS
Scène d'automne. Un sentier jalonné de pierre serpente à travers des bruyères d'été (Erica vagans et E. cinerea) et invite à une promenade parmi les arbres indigènes.

un petit jardin formel, un peu à l'écart, dans un tout autre style, avec de jolies serpentines de buis. Ce banc s'encastre dans un genre de niche aménagée au centre d'une haute charmille.

On a ici le goût des choses bien faites, bien adaptées, réalisées par les meilleurs artisans qui créent avec amour des objets n'existant au départ que dans l'imagination d'un artiste.

Ces lieux ont un côté magique. Ils changent d'une année sur l'autre, sont sans cesse améliorés, avec une rapidité étonnante, sans cicatrices. La légèreté des feuillages, la douceur des couleurs, la souplesse des tracés, le moelleux des pelouses, le jeu des transparences créent une atmosphère d'apesanteur qui enchante.

Et l'on se laisse porter et transporter.

La Vallée

Voici le plus naturel des jardins naturels. On ne sait plus très bien où est la frontière entre la prairie, la forêt et le jardin proprement dit, tant l'intervention de l'homme se veut discrète et en accord avec les données sauvages du paysage. La Berthonnière est le refuge de Gilles Clément, paysagiste de renom dont le quartier général se trouve à Paris, dans l'un des arrondissements les plus grouillants de la capitale. Dans la Creuse, il renoue avec sa vérité, avec ses racines.

La Vallée est un jardin souple dans son tracé, et ombreux. Gilles Clément le considère comme son jardin expérimental. Il diffère beaucoup de ceux qu'il crée pour ses clients. La raison en est simple : il n'a pas les moyens de l'entretenir et ne veut pas se plier à l'esclavage habituel qui est le lot de tout jardinier. La Creuse se situant au centre de la France, les

À GAUCHE
Les azalées conviennent parfaitement à ce jardin sauvage. L'azalée japonaise 'Palestrina' à feuillage persistant et l'azalée mollis hybride 'Cécile' rose se détachent joliment sur la verdure.

CI-DESSOUS
Au premier plan, le couvre-sol Lamium *'Beacon Siver' forme un joli tapis. Derrière, quelques petits pavots jaunes,* Meconopsis cambrica, *et deux* Acer japonicum *au feuillage remarquable éclairent la scène.*

distances ne permettraient pas, d'ailleurs, cette surveillance de tous les instants. En conséquence, la gestion de la Berthonnière est très particulière, et il se doit de l'assumer complètement, compte tenu de tous ces impératifs.

Au départ, il ne savait pas très bien où il allait. Les choses se sont mises en place petit à petit, au gré des circonstances. Mais aujourd'hui, avec le recul, il peut faire la synthèse et tirer des principes de cette expérience tout à fait unique.

D'abord, il n'arrose pas, ou très exceptionnellement. Les plantes poussent ou ne poussent pas. Lorsqu'il les installe, il les arrose lors de la plantation, et puis il ne s'en occupe plus. Cette démarche comporte des risques, mais dans l'ensemble, les plantes s'en accommodent. Par ailleurs, le gazon est absent, et l'herbe (qu'il tond épisodiquement ou fauche selon une technique toute personnelle sur laquelle nous reviendrons) sait rester verte. Même en période de sécheresse prolongée, elle profite de la fraîcheur d'une source ou d'un ruisseau, et de l'ombre des grands arbres.

Ensuite, dans sa démarche, Gilles Clément intègre des données écologiques. En d'autres termes, il accepte les relations qu'entretiennent plantes et animaux, et il les conserve. Un exemple ? Il respecte les exigences des rongeurs, campagnols pour la plupart. Ceux-ci sont friands de tulipes botaniques. Donc il n'en plantera plus. En revanche, ils ne touchent pas aux alliums. Donc il en insérera : *Allium christophii, (Syn. A. Albopilosum) A. Carinatum Pulchellum.* Il sait aussi que ces campagnols n'envahiront pas le jardin car les lois de la nature jouent pleinement ici leur rôle (et il s'y emploie) : ces campagnols sont le mets de choix des rapaces de nuit comme les chouettes, et des rapaces de jour que sont les buses. Un autre exemple ? Il n'utilise aucun insecticide. Car si l'on détruit un insecte, on empoisonnera l'oiseau qui mangera cette proie, et la chaîne écologique sera rompue. De même, il laisse vivre les serpents qui sont mangés par les hérissons et par ces oiseaux rares, les circaètes, qui vivent ici et dont la vie

CI-DESSUS
Une profusion de plantes acidophylles, fougères, acers, pieris, lamium, thalictrum aquilegifolium, Tellima grandiflora, *se mêlent à des pervenches et à des boutons-d'or.*

À GAUCHE
Une pivoine herbacée double et des ancolies bleues (Aquilegia vulgaris) *forment une belle association. À droite, on distingue un saule cendré* (Salix cinerea) *qui pousse spontanément dans la région. Une touche plus vive est apportée par la hampe rouge d'un* Rheum palmatum.

À DROITE
Un Cercidiphyllum magnificum *au feuillage fluide domine le ruisseau. À ses pieds prospèrent renoncules et fougères* (Dryopteris felix « femina »). *Une azalée orange se détache sur un tronc d'*Acer griseum.

est conditionnée par l'existence des reptiles. Ou encore, il conservera des îlots d'orties car elles nourrissent les chenilles qui deviendront papillons. Et Gilles Clément d'affirmer : « La diversité des espèces d'une prairie conditionne sa diversité entomologique et donc ornithologique. » Sa démonstration est éloquente.

Enfin, nous arrivons à sa théorie du « jardin en mouvement » : « La friche n'est pas statique, elle est dynamique. Certaines plantes s'y développent spontanément et présentent un intérêt pour nous, jardiniers. Si je vois des digitales, je les laisse pousser. Je tourne autour avec la tondeuse, et je crée un îlot informel d'où vont sortir des fleurs. Je les laisse se développer et grainer. Quand elles ont terminé leur cycle végétatif, je les rase. Et je repère à côté une autre masse de plantes intéressantes : des molènes (*Verbascum*), par exemple. Je tourne autour avec ma tondeuse et je les laisse grandir. Ce sont ces masses florissantes qui vont constituer à tour de rôle la structure du jardin en mouvement. Ces masses se déplacent d'une saison à l'autre. »

Ce type de jardin ne se conçoit pas sur le papier. Il ne fait pas l'objet d'un dessin préalable. Il commence à vivre après sa mise en place sur le terrain. Et le jardinier devient concepteur. Le seul projet possible consiste à établir une liste de végétaux qui se ressèment d'eux-mêmes. Ainsi Gilles Clément donne-t-il l'initiative à la nature en prenant en compte sa dynamique. Parmi ces plantes qui ont besoin des graines pour assurer leur pérennité, il recommande les digitales, les molènes, les *Euphorbia lathyrus*, le *Sedum telephium* qui se ressème partout, les ancolies (*Aquilegia vulgaris*), les renoncules (*Renonculus acris*), et les grandes berces (*Heracleum mantegazzianum*) qui mesurent plus de deux mètres de haut.

Le jardin se compose de plusieurs parties. La théorie du jardin en mouvement s'applique plus précisément à la vallée qui longe un joli ruisseau. Sur les bords de ce cours d'eau, on trouve une multitude de primevères japonaises candélabres dont la floraison d'un orangé doux illumine l'ombre de la forêt qui peuple le versant nord. S'y plaisent aussi des fougères de toutes sortes et une énorme touffe de *Gunnera manicata* dont les immenses feuilles contrastent avec la légèreté d'un *Cercidiphyllum magnificum* absolument somptueux. Dans la vallée, la structure mouvante est fonction des plantes qui auront bien voulu se ressemer. Mais des reines-des-prés (*Filipendula ulmaria*) et une masse de *Darmera Peltata* (Syn. *Peltiphyllum Peltatum*) assurent une présence constante, à la belle saison, ainsi que plusieurs végétaux acidophiles : *Acer griseum, Vaccinium coymbosum,* rhododendrons et azalées.

Au sud, sur le talus situé au pied de la maison, s'étend un jardin pentu que Gilles

Clément gère d'une façon plus traditionnelle : il a installé là un phormium, des graminées, un *Rheum palmatum,* des géraniums vivaces, des eremurus, la fidèle *Alchemilla mollis* ou l'*Euphorbia cyparissias* utilisée en couvre-sol, des lis martagon qui se plaisent dans ce contexte sauvage, une multitude de petits pavots de Californie *(Eschscholtzia),* un rosier « Chinensis mutabilis » et une foule de plantes qu'il consent à libérer des mauvaises herbes si nécessaire. Car, lorsqu'il le faut, Gilles Clément n'hésite pas à venir passer une petite semaine dans la Creuse, pour mettre de l'ordre. Surtout au printemps et à l'automne. En tout, il vient ici deux ou trois mois par an.

Enfin, un potager offre fleurs et fruits : composé de plusieurs carrés séparés d'allées engazonnées, il s'organise autour d'une auge ancienne en pierre : tomates, salades, haricots et plantes aromatiques dispensent leurs odeurs et leur saveur. Et quelques fleurs s'y mêlent pour orner la maison.

En toute chose existent un côté positif et un côté négatif. La nature présente évidemment ce dualisme : sa beauté et sa jungle, ses animaux familiers et ses animaux nuisibles. Gilles Clément l'accepte telle qu'elle est, avec ses qualités et ses défauts. Et il sait transformer ses défauts en vertus.

CI-DESSUS
La forme particulière du Cercidiphylum magnificum japonicum *surplombe un ruisseau naturel qui traverse le jardin. Des plantes indigènes, en particulier des fougères, poussent librement sur ses rives.*

À DROITE
Un petit sentier mène à la maison. De chaque côté, les plantes sont utilisées par petites taches. Au premier plan, des escholtzias orange (c'est un pavot annuel qu'on sème en place) se mélangent à des iris et à des euphorbes.

Les Grandes Bruyères

Si l'on avait prédit au comte et à la comtesse de La Rochefoucauld qu'ils seraient un jour à la tête d'un parc botanique de plusieurs hectares, l'auraient-ils cru?

En fait, tout a commencé... en Angleterre. « Nous avions accompagné l'un de nos enfants outre-Manche et nous avons visité des jardins. Notre passion pour les bruyères est née là-bas. Ce fut une révélation. » C'est ainsi que commence la comtesse de La Rochefoucauld lorsqu'elle retrace l'histoire de son vaste jardin. Car il faut savoir que nos hôtes ont fait construire cette grande maison de style solognot au début des années soixante-dix, au cœur de la forêt d'Orléans. « À ce moment-là, nous ne connaissions rien au jardin... Nous pensions simplement établir une pelouse et implanter quelques plates-bandes de plantes vivaces. La pelouse n'était en fait qu'un affreux tapis-brosse. Nous allions de déception en déception. Et puis nous avons fait ce voyage en Angleterre. En rentrant, j'ai essayé de créer des volumes avec les bruyères puisqu'elles étaient omniprésentes dans la forêt alentour. Nous nous sommes aperçus que les bruyères constituaient une grande famille. Et nous nous sommes lancés. Au début, pour nous guider, nous avons fait appel à Tobie Loup de Viane : il est arrivé avec d'innombrables feuillets remplis de noms latins. Il nous a beaucoup appris et nous a mis le pied à l'étrier. C'était un grand architecte, c'est lui qui a dessiné la cour. Puis nous avons continué seuls.

Ainsi est né un jardin au tracé naturel qui se fond dans la forêt, et qui est en parfait accord avec le paysage sylvestre environnant. Les immenses plates-bandes aux pourtours ondulés furent plantées d'une multitude de végétaux, constituant un paysage de sous-bois, à dominante de bruyères. « Pendant une dizaine d'années, tout se passa le mieux du monde. Et puis, en 1985, ce fut le drame, continue madame de La Rochefoucauld. L'hiver fut meurtrier avec des températures qui descendirent jusqu'à − 27°. Toutes les bruyères gelèrent. Ce fut une dure leçon. Nous avons presque tout perdu, y compris une magnifique haie de cyprès. Beaucoup de choses ont disparu. Alors nous nous sommes tournés vers

À GAUCHE
De randes allées souples traversent le jardin qui a été gagné sur la forêt. On a gardé les arbres locaux les plus beaux, entre autres les pins sylvestres (Pinus sylvestris). Le jardinier a apporté les arbustes, les plantes vivaces et les bulbes; et de nombreux bancs, car c'est un jardin créé pour le plaisir, et l'on sait en profiter.

À DROITE
Cette vue est prise dans le jardin de printemps qui se colore de toutes sortes de bulbes (scilles, montbrétias, colchiques), et où s'épanouissent des collections d'hydrangéas.

d'autres végétaux. Nous avons essayé d'oublier les bruyères. Mais aujourd'hui, nous y revenons. Car la main-d'œuvre qualifiée est devenue rare, et lorsqu'on possède un grand jardin, il faut pouvoir compter sur des plantes sûres. Or, parmi les innombrables variétés de bruyères, certaines sont rustiques et demandent peu d'entretien. »

En entrant, près de la maison, on découvre le jardin d'Hiver. Il est structuré à la française. Un quadrillage de petites haies de buis enserrent des bruyères, des lavandes ou des *Teucrium chamaedrys* au feuillage persistant. Au milieu, une pergola décrit une croix où s'enlacent des rosiers grimpants (« Albertine », « Paul Noël », « François Jurenville », « Souvenir de la Malmaison » climbing), mêlés à des clématites. En son centre, un bassin laisse jaillir un mince filet d'eau.

Après avoir descendu quelques marches noblement encadrées par des contreforts végétaux en if, surmontés de motifs taillés selon les principes de l'art topiaire, on entre dans le jardin sauvage. La maison apparaît au centre

CI-DESSUS
*En entrant dans la
propriété, on traverse le
jardin d'hiver où sont
rassemblées des plantes à
feuillage persistant (buis,
bruyères, santolines,
lavandes) disposées selon un
tracé formel. C'est aussi un
jardin où fleurissent les
roses anciennes et les
clématites, qui se mélangent
sur l'armature d'une pergola
qui en fait tout le tour. Au
centre des allées en croix, un
bassin circulaire est peuplé
de nénuphars, de poissons et
de grenouilles. Gloriettes et
statues attirent le regard au
fond des perspectives.*

À GAUCHE
*L'une des statues, sur un
fond de delphiniums, de
Magnolia grandiflora et de
lierre.*

À DROITE
*Des hectares de jardin sont
plantés de bruyères
tapissantes ou arborescentes
sous couvert des arbres de la
forêt. Jolie association qui
marie la floraison légère et
floue des bruyères d'été aux
têtes rondes et prometteuses
des sédums (au premier
plan).*

d'une vaste clairière. Une jolie pelouse, entrete-
nue avec soin et succès, forme un beau tapis
vert. Les formes et les volumes sont amples et
bien proportionnés. On respire, car tout
semble vivre à l'aise. Alors commence le jardin
de sous-bois, sous couvert de pins sylvestres
que l'on aperçoit à l'infini. Les plates-bandes
s'enchaînent doucement, reliées moelleuse-
ment par des allées engazonnées. Des conifères, des chênes, des érables, des magnolias,
des cornus abritent des azalées, des rhododendrons, des bruyères tapissantes ou arborescentes, des cistes, des rubus, des potentilles,
des plantes vivaces comme des sédums ou des

asters, ou des bulbes parmi lesquels les crinums et les montbretias forment des touffes magnifiques.

Revenons aux bruyères. Car monsieur et madame de La Rochefoucauld sont des spécialistes. D'ailleurs, Bernard de La Rochefoucauld a écrit un livre intitulé *La Bruyère,* publié aux éditions Dargaud en 1979 ; il y explique comment la cultiver, échelonner ses floraisons, la multiplier, l'associer à d'autres plantes, comment dessiner un jardin de bruyères en tenant compte de leurs coloris si variés. Les bruyères offrent, entre autres couleurs, des tonalités très séduisantes allant du rose au violet, en passant par toute une gamme de tons subtils : améthyste, mauve, lavande, rubis, cerise, pourpre, cramoisi ou magenta.

Au cœur de l'hiver, fleurissent les alpines *Erica carnea* : la variété « King George » est prête pour Noël. Les *E. daleyensis* poursuivent leur floraison jusqu'en avril. En mai, s'épanouissent les *E. erigera* et les bruyères arborescentes *E. arborea* et *E. australis*. En juin, apparaissent les élégantes « Daboecia » avec leurs petites clochettes blanches ou pourpres. Elles dureront jusqu'aux gelées. Les *E. cinerea* sont également des valeurs sûres pour l'été, ainsi que les *E. vagans*. Enfin, les *Calluna vulgaris* s'étageront d'août à novembre, le grand moment étant septembre, où elles illumineront les plates-bandes.

Dans cette partie du jardin, le sol est recouvert de mulch et d'écorces de pin broyées. Le sol est amendé par un engrais naturel à base d'algues et de fumier de vache. Madame de La Rochefoucauld a pour principe de n'utiliser aucun engrais chimique, aucun désherbant. Car il faut respecter la nature, ses lois, son équilibre. Ici, les oiseaux sont rois. Et même les petits animaux indésirables ont droit de cité : les guêpes, les frelons, les taupes sont tolérés. Et Cléopâtre, la couleuvre, s'acquitte bien de sa tâche : elle adore les limaces et c'est pourquoi les touffes d'hostas sont si belles, aucune feuille n'étant trouée ni déchiquetée.

Puis on atteint le jardin de Printemps, où les bulbes se naturalisent : muscaris, scilles, puschkinias y forment de jolis tapis.

Ce jardin jouxte l'Arboretum : tous les ans, monsieur et madame de La Rochefoucauld y insèrent une centaine de sujets nouveaux issus pour la plupart de graines. Ils essaient d'y acclimater des espèces du monde entier et notamment d'Amérique et du Japon : des liquidambars, des taxodiums, des tsuga, des albizzia, des zelkova, et toutes sortes de bouleaux remarquables pour leur écorce. Et surtout, une collection de magnolias qui offre un spectacle féerique au printemps.

Puis on revient vers le Labyrinthe : des haies de charmilles y découpent des pièces de verdure où sont plantés des rosiers anciens : la

CI-DESSUS
Cette scène se situe en marge de la roseraie au tracé formel et surplombe le reste du jardin. C'est une broderie de fleurs qui orne une fenêtre imaginaire.

À GAUCHE
De très belles haies taillées en charmilles marquent la frontière entre la partie soumise à l'architecture de la maison et le jardin de sous-bois. Leur tracé sinueux épouse les contours du jardin sauvage où toutes les nuances de vert sont harmonieusement réunies.

plupart sont issus de boutures provenant de la Roseraie de L'Haÿ-les-Roses. C'est une des passions de madame de La Rochefoucauld que de collectionner les roses anciennes : « Cuisse de Nymphe émue », « Reine des Violettes », « Duchesse de Montebello » ou « La Petite Orléanaise » offrent leurs fleurs et leur parfum. Madame de La Rochefoucauld les choisit pour leur senteur, selon elle qualité première d'une rose.

Et la boucle se ferme sur la maison dont l'architecture, côté cour, se prolonge côté jardin. La cour est l'œuvre de Tobie Loup de Viane : tout autour, il a disposé un mur de charmilles traitées en contreforts végétaux, et dans chaque espace est planté un *Magnolia grandiflora*. Ce motif classique et pur est très beau.

Le jardinage est ici vécu comme une passion quotidienne accaparante. Dans ce jardin pensé avec beaucoup de liberté se reflète la philosophie de ses créateurs : ils s'émerveillent devant la beauté de la nature à l'état pur, respectent ses lois, et interviennent le moins possible.

Dans le Cotentin

La route qui descend vers le village décrit de vastes méandres en dominant la mer. On se croirait en Écosse : à perte de vue s'étend une lande de bruyères où rien ne semble vouloir pousser. Le climat y est rude en raison du vent ; ce vent qui ne tolère aucune existence végétale et qui, lorsqu'il rencontre un arbre sur son passage, le ploie, le tourmente, le fait pencher et l'oblige à défier les lois de l'équilibre. Les racines tiennent bon, elles s'accrochent. C'est une lutte impitoyable. Ce vent et ses tourbillons incohérents, désordonnés, violents, et ses rafales déchirantes, hurlent souvent dans cette anse où se sont blottis quelques maisons, une église et un manoir. Pour se faire pardonner ses colères intempestives, la nature a doté l'endroit d'un microclimat exceptionnel, fameux pour la douceur de ses températures.

L'actuel manoir était jadis une sorte de forteresse composée de deux corps de logis reliés par un donjon. D'autres bâtiments, un colombier et des douves, édifiés successivement au cours des siècles, lui confèrent un style architectural varié. C'est précisément à l'emplacement des douves que fut créé, au départ, un étonnant jardin botanique.

En 1947, lorsque le créateur du jardin et son épouse reprirent la propriété, les herbages venaient jusqu'aux douves. Dans la cour se trouvait déjà une touffe de phormiums, seule et unique : les divisions successives de cette plante fragile ont permis de constituer des haies gigantesques qui font l'une des originalités de l'endroit.

Car la nature a dicté ses lois : s'il fallait avant tout lutter contre le vent, on pouvait par ailleurs, grâce à la clémence du climat, insérer des plantes qui d'ordinaire ne poussent pas sous cette latitude.

C'est pourquoi le jardin se compose d'une succession d'espaces clos protégés par les fossés des douves autour du manoir, ou par des haies colossales qui servent de brise-vent (éryngiums, cyprès, *Cordylines australis*, eucalyptus). Ces haies sont elles-mêmes constituées de végétaux pour la plupart gélifs en France, comme des phormiums, des éryngiums ou des escallonias. L'architecture végétale qu'elles dessinent est tout à fait informelle. Ainsi le

À DROITE
Des colonies d'agapanthes associées à des plantes à feuillage gris envahissent un jardin clos abrité du vent. Derrière, des cordylines s'appuient sur un ancien pigeonnier.

À DROITE
Les magnifiques hampes bleues géantes des Echium pinana *qui se ressèment à l'envi, s'harmonisent avec la mer qu'on aperçoit au loin. Des genêts jaunes naturalisés* (Spartium frutescens) *embaument.*

visiteur passe d'un espace à l'autre et découvre à l'intérieur de chaque jardin une multitude de plantes fragiles provenant même parfois de régions subtropicales.

La ligne droite est ici ignorée, le cordeau est exclu puisqu'il n'existe pas dans la nature. Les courbes, les effets de masse, un entretien assidu et indulgent, des couleurs douces, jamais criardes, confèrent au jardin un charme certain. Certes, le botaniste averti le parcourera avec intérêt car il y fera des découvertes étonnantes. Mais le regard de l'esthète y sera également satisfait ; il sera sensible aux effets recherchés. Les gynériums utilisés en masses, les phormiums et leurs feuilles lancéolées qui forment une haie infranchissable, un mur de verdure spectaculaire planté d'énormes gunnera se prolongeant à perte de vue, tous ces éléments fascinent. Et la mer que l'on entend sans pouvoir la discerner, et qui soudain surgit au

détour d'une haie, amenée par une vaste étendue de pelouse non apprêtée. Et le vent qui se joue dans les branches souples des eucalyptus, laissant entrevoir d'autres scènes de jardin. La poésie des lieux et le savoir-faire du créateur se mêlent à l'exotisme, surprennent et flattent le regard du visiteur.

Les végétaux ont été choisis afin que le jardin soit beau toute l'année. Les feuillages persistants, les écorces, les floraisons des arbustes et des plantes vivaces assurent un spectacle renouvelé. Le propriétaire du jardin a inséré des plantes qui lui ont été données au hasard de ses rencontres, qu'il a trouvées au cours de ses voyages. Plantes divisées, plantes échangées, herborisées ou ressemées, elles ont été rassemblées, aimées, arrangées et organi-

sées en un ensemble original créé au fil des années, sans ambition, sans intention ni dessein particuliers, et le résultat s'est révélé surprenant de beauté.

Voici les principales plantes de ce jardin, qui bénéficient de la proximité du Gulf Stream : les camélias, les agapanthes bleues, les crinums blancs ou roses, les palmiers, les cistes, les acanthes, les hébés, les *Amaryllis belladona,* les alstroemeres aux tons chauds, les bambous, les agaves, les dahlias qui restent en terre, les *Senecio greyi* et leur feuillage argenté, les aloès, les dimorphoteca, les géraniums odorants si fragiles, toutes ces plantes que nous avons l'habitude de protéger, de cultiver en potées, de rentrer l'hiver, ou dont nous devons tout simplement nous priver car le froid de notre

À *GAUCHE*
*À peine peut-on croire que des plantes subtropicales et méditerranéennes puissent prospérer sous cette latitude. Des arums blancs (*Zantedeschia aethiopica*), des *Fuchsia magellanica *se mêlent à des fougères arborescentes (*Dixiona Dixonia « antartica » au centre), à des cordylines *australis *(derrière), à des bambous, des cistes et à des eucalyptus.*

CI-DESSUS
Une extraordinaire collection de cordylines apporte une touche d'exotisme tout à fait unique en France, au pied du château.

pays leur est habituellement fatal. Quant aux cordylines, elles ont, hélas, souffert des rigueurs passées ; fort heureusement, elles repartent du pied et promettent de recréer dans un futur proche le caractère exotique tant recherché du jardin.

Ces végétaux suscitent en effet une ambiance particulière : le visiteur est interpellé par des évocations étranges qui le dépaysent assurément. Ce microcosme n'est pas sans rappeler Inverewe, dans le nord de l'Écosse, ou Tresco, au large de la Cornouaille. Comme Osgood Mackenzie ou Augustus Smith, le propriétaire de ce jardin du Cotentin a composé un décor tropical très original. Sa passion pour les plantes aimant lumière et douceur et son acharnement à colmater les brèches pour déjouer le vent salé l'ont conduit à composer un paysage luxuriant et une collection botanique hors du commun. Il est aujourd'hui disparu mais son épouse, qui a participé à chaque phase de la création, et deux de ses enfants continuent à faire évoluer le jardin avec la même passion et le même amour pour cette généreuse végétation.

185

Rêves
et passions

Ces lieux idylliques sont autant de visions d'un paradis retrouvé. Leur perfection nous porte et nous transporte vers un univers idéalisé. Ces jardins seraient-ils doués d'une autre dimension? Y lirait-on la notion d'éternité? Qu'ont-ils en commun si ce n'est la quête d'une image à jamais perdue? Sardy et Le Clos Normand sont des rêves romantiques. Les fantaisies de Jas Créma sont pleines d'humour. Groussay fut imaginé par un esthète au regard cultivé qui savait s'échapper par ses souvenirs de voyage. Le jardin de Saint-Paul-de-Vence est construit sur des symboles éternels. Giverny et La Petite Rochelle sont conçus comme des tableaux où l'harmonie des couleurs nous renvoie à celle d'un monde meilleur. Ces accords parfaits nous élèvent. Comme s'ils nous rendaient l'imaginaire subitement accessible.

Giverny

« Je suis content que vous ameniez Caillebotte, nous causerons jardinage, comme vous dites. » Ces quelques mots, Mirbeau les écrit à Monet qui vient de faire l'acquisition de Giverny. Monet partage sa passion des jardins avec ses amis, dont Mirbeau et Caillebotte. Caillebotte est peintre également. C'est lui qui a converti Monet au jardinage, comme on se convertirait à une religion.

Deux choses comptent pour Monet : la peinture et le jardin. Ils sont indissociables. Son jardin, il le compose comme un tableau. Ses tableaux, il les construit comme un jardin. Giverny est l'expression de ses visions, tout comme sa peinture. Tableaux et jardin se renvoient des images, se réfléchissent l'une dans l'autre : il y a fusion des deux visions. On ne sait plus où est la frontière entre l'art du jardinier et l'art de l'impressionniste.

Si Monet s'installe à Giverny, c'est parce qu'il est séduit par les collines, les vergers, les peupliers, les méandres de la Seine, le petit village qui éparpille ses maisons dans la vallée de l'Epte, et par la lumière changeante d'un ciel pommelé. La propriété s'étend sur 1,8 hectare. La maison donne sur la rue et s'ouvre, de l'autre côté, sur un grand verger clos de murs. Le tracé du jardin est simpliste : une allée centrale le partage. Il trouve les buis taillés bien ridicules et s'empresse de les arracher. Il ne conservera que les deux ifs et peu à peu, cerisiers et pommiers du Japon remplaceront les arbres fruitiers. Là, dans le « Clos normand », il va tracer un jardin de curé divisé en allées, très ordonné, qu'il va planter d'une profusion de fleurs multicolores, si bien qu'on en oubliera presque les angles et la rectitude. Il n'est que de citer les capucines rampantes qui envahissent l'allée centrale où l'on peut à peine se frayer un chemin sous la voûte de roses. Les plantes grimpantes, il les préférera sur des arches qui, bientôt, se recouvriront de guirlandes de roses, de clématites ou de jasmins. À l'exubérance des fleurs, s'opposera une structure contrôlée, renforcée dans son formalisme par des rosiers-tiges qui rythmeront le jardin, comme à Bagatelle. Au fil des saisons se succéderont des fleurs à foison : tulipes, myosotis, giroflées, iris, pavots, juliennes-des-dames, pivoines herbacées ou

À GAUCHE
Un jardin de curé forme un grand bouquet devant la maison de Monet. Il semble que l'on y ait jeté des graines à poignée : des juliennes-des-dames, des monnaies-du-pape accompagnent les pivoines au mois de mai.

À DROITE
Le jardin d'eau contraste en tous points avec le premier. Un grand étang aux berges sinueuses plantées d'azalées et de rhododendrons met en valeur les fameux nymphéas qui flottent à la surface. À travers les branches d'un saule pleureur, on devine le pont japonais et sa guirlande de glycine.

PAGES SUIVANTES
Le jardin de curé est structuré par des allées rectilignes jalonnées d'arceaux où grimpent les rosiers. Des fleurs à foison font oublier la géométrie du tracé. Pavots, pivoines, iris, giroflées, juliennes-des-dames et monnaies-du-pape abondent.

arbustives, lupins, delphiniums, pois de senteur, phlox, anémones du Japon.

Puis il fera l'acquisition d'un terrain, de l'autre côté du Chemin du Roy : dans l'étang du jardin d'Eau, il plantera des nénuphars, jaunes, blancs, pourpres, roses et mauves, et tout autour des plantes qui, au milieu des détours, des contours et des sinuosités, vivront en liberté : bambous, iris, pétasites, digitales, azalées, rhododendrons. Et il installera le fameux pont japonais enlacé de glycines. Son ami, George Truffaut, célèbre en France pour avoir laissé son nom à de grandes pépinières, décrit le jardin d'Eau en 1924 dans la revue *Jardinage* : « L'étang alimenté par l'Epte est encadré de saules de Babylone aux rameaux dorés. Les fonds et les bords sont garnis d'une masse de plantes de terre de bruyère, fougères, kalmias, rhododendrons, houx. Les bords des eaux sont ombragés d'un côté par des rosiers à forte végétation et l'étang lui-même est planté de toutes les variétés connues de nénuphars. Sur les berges, des iris *sibirica,* de Virginie, du Japon, *kaempferi* accentués par des pivoines en arbre, herbacées, des groupes de cytises, d'arbres de Judée. Une importante plantation de bambous forme un bois dense. Sur les bords encore, des pétasites à feuillage énorme, sur les

pelouses des thalictrums à feuilles découpées, certaines fougères à fleurs légères et cotonneuses, roses ou blanches, des glycines... On y trouve encore des tamaris et l'ensemble est parsemé de rosiers sur haute tige et de rosiers buissonnants. » C'est ici qu'il créera ses célèbres « Séries de nymphéas ». C'est ici qu'il reviendra rêver sans cesse, subjugué par toutes ses impressions, par les reflets changeants de l'eau et par la lumière fugitive se jouant à travers la transparence des fleurs et des feuillages.

Le jardin fut créé entre 1883 et 1926. Déjà au début du siècle, il était célèbre et le jardinier de Monet avait cinq aides. Après la mort du peintre, il fut laissé sans entretien et se changea en un triste roncier. Monsieur Gérald Van der Kemp, nommé conservateur de Giverny, fut chargé de le restaurer en 1977. Pour rester fidèle à l'esprit, il se mit à l'écoute de monsieur André Devillers, qui accompagnait Georges Truffaut dans ses visites du temps de Monet et de Jean-Marie Toulgouat, son arrière-neveu.

Actuellement, le jardin est radieux. Il est à son apogée quand les *Iris germanica* plantés en longues rangées s'épanouissent devant la maison : c'est un grand moment. Ainsi l'avait voulu Monet. Toutes ces fleurs, toutes ces associations étaient pour lui des supports de contemplation. C'est parce qu'il les aimait tant qu'il les interpréta avec un tel génie.

CI-DESSUS
Les iris des marais sont en fleur. Une glycine blanche (Wisteria floribunda « Alba ») envahit le pont japonais.

À GAUCHE
Les bords de l'étang sont plantés de végétaux qui affectionnent la proximité de l'eau : l'Heracleum montegazianum aux feuilles découpées géantes contraste avec le feuillage lancéolé des iris des marais. Quelques giroflées les accompagnent.

Sur les hauts
de Saint-Paul-de-Vence

« Faites-moi un jardin pour l'éternité » : tels sont les mots qu'employa ce riche industriel allemand lorsqu'il passa commande au paysagiste Jean Mus. Comme devant une feuille blanche le jour d'un examen, Jean Mus commença à disserter : c'était un beau sujet. Le maître des lieux lui laissait toute liberté. Sa créativité ne serait en rien entravée : le propriétaire adhérerait à ses choix esthétiques et ne lui imposerait aucune contrainte financière. Pour un paysagiste, c'était une occasion inespérée. Il pourrait laisser parler son imagination, concrétiser les rêves qu'il n'avait jamais pu réaliser faute de moyens, laisser s'exprimer sa fantaisie.

« Un jardin pour l'éternité ? »; Jean Mus s'interrogea. Le propriétaire voulait-il tout simplement se constituer un patrimoine transmissible de père en fils ? Fallait-il inclure parmi les scènes végétales des éléments moins dégradables que la nature : des statues, des fabriques, des gloriettes, des fontaines ou des cascades qui traverseraient les ans plus aisément ? Ou bien insérer des scènes symboliquement éternelles en jouant, par exemple, avec les jeux d'ombre et de lumière ? Ou encore divertir le maître des lieux, au sens pascalien du terme, et lui faire oublier les soucis de notre monde faillible, en lui laissant croire quelques instants qu'il avait retrouvé le Paradis perdu, en attirant sans cesse son attention grâce à un spectacle merveilleusement distrayant et toujours renouvelé. Ou jouer toutes ces cartes à la fois.

Nous sommes en Provence, à deux pas de Saint-Paul-de-Vence, dans l'arrière-pays méditerranéen. Il y a cinq ans, lorsque notre hôte fit appel à Jean Mus, la maison était entourée d'une forêt de chênes verts et de pins. Il fallait tracer le jardin tout en respectant les données naturelles. Et comme dans tout paysage sec, aride et ensoleillé, il fallait inclure l'eau, source de félicité, de fertilité et de richesse : sa présence, sa musique seraient indispensables pour mener à bien cette entreprise de séduction.

Une multitude d'images et de souvenirs défilèrent dans l'esprit de Jean Mus. Et il composa un divertissement sur cinq hectares, en un temps record, en deux ans et demi, aidé des meilleurs artisans de la région. C'est un jardin-spectacle, un jardin-théâtre, un jardin

À GAUCHE
Quelques marches douces intégrées dans la pelouse descendent vers la clairière arrondie où la lumière méditerranéenne contraste avec l'obscurité de la forêt alentour. Cet axe suit la course du soleil en hiver.

À DROITE
Perspective italienne : une allée carrelée, bordée de cyprès et de pots en terra cotta où prospèrent des géraniums lierre, mène à la maison, à travers le jardin de senteurs où Jean Mus a rassemblé des plantes aromatiques. Il est entouré de murets et de bancs.

promenade où les sens sont toujours en éveil : des scènes variées se succèdent et s'enchaînent; par des jeux de transparence, par des perspectives et des percées, le regard est attiré. Le promeneur se laisse guider, il est charmé par les senteurs, les couleurs, les volumes, l'architecture du tracé et le bruit de l'eau, des fontaines et des cascades. Jean Mus y a mis toute son âme : « Ce jardin est pour moi une fête ; ici, j'ai envie de chanter, de crier ma joie, d'entendre des cithares et des mandolines. » « Je n'arrive pas à réaliser que cela est à nous, lance la maîtresse de maison. Il s'en dégage une impression étonnante : on croirait un décor naturel irréel. »

La promenade commence autour de la maison qui se prolonge par une vaste pelouse vert mousse. L'eau de la piscine, au milieu, d'un bleu turquoise, vous plonge dans une atmosphère idyllique. Un ample feston de plantes vivaces utilisées en masses gigantesques décrit des vagues sinueuses à l'anglaise : des hémérocalles, des perovskia d'un bleu azur et des agapanthes forment un écrin enchanteur. À droite, le regard se faufile à travers une pergola dallée plantée de lianes odorantes avec plusieurs variétés de jasmins, dont le *Jasminum Affine* (Syn. *J.* « *Grandiflorum* »), celui des collines voisines de Grasse qui entre dans la composition de nombreux parfums. Des petits

À GAUCHE
*Un mur-cascade en arrondi :
c'est un divertissement
musical, une réminiscence
de jardins italiens, une
fantaisie aquatique. L'eau
circule en circuit fermé. Le
sol est dallé et des iris des
marais (Iris pseudacorus)
profitent des éclaboussures.*

À DROITE
*Très jolie scène inspirée de
la nature sauvage : la terre
chaude et sèche est
recouverte, sur une grande
étendue, par un tapis de
serpolet (Thymus
serpyllum) dans les tons*

*mauves. Le serpolet, les
lavandes, les cyprès sombres,
les oliviers argentés et les
citronniers en fleur
composent une scène
parfumée très harmonieuse.*

EN BAS
*Vaste partie du jardin où
l'on respire. Les allées
contournent de grandes
plates-bandes tapissées de
couvre-sol variés
(Hypericum calycinum,
bruyères d'été, lavandes,
Senecio 'Sunshine'). On
remarque également des
oliviers, des cyprès et des
pins d'Alep.*

bancs où l'on aime faire la conversation le soir, quand le soleil couchant exalte les senteurs, vous invitent à une pause : tout autour, Jean Mus a disposé des plantes aromatiques. Et l'on s'amuse à en froisser les feuilles, à en deviner le nom : est-ce un songe, une citronnelle, une menthe ou un thym ? Le dallage se poursuit et vous fait découvrir une perspective étonnante : des marches vous élèvent doucement vers une tonnelle qui croule sous la glycine et le jasmin. Son architecture italienne est renforcé par la présence verticale des cyprès qui l'encadrent de part et d'autre. Tout autour, d'immenses tapis de thym serpolet rose sont relayés, dès le mois de juin, par une mer de lavandes bleues combinées à des oliviers argentés. Jean Mus est allé lui-même choisir ces oliviers centenaires en Espagne, en Andalousie, plus précisément. Ils ont été transplantés avec tous les soins requis. L'un d'entre eux, près de la pergola, aurait plus de cinq cents ans.

Puis on redescend vers un autre parcours, et l'on s'enfonce dans la forêt de chênes verts et de pins. Qui dit forêt dit clairière. Et là, une autre perspective mène à un salon de verdure circulaire à ciel ouvert. Et l'on retrouve cette notion d'éternité souhaitée par le propriétaire. Les dimensions de cette clairière sont parfaitement proportionnées à la taille des arbres adultes : tout a été pensé. Puis le bruit d'une fontaine vous attire, un mur d'eau vous étonne, un labyrinthe vous surprend dans la forêt.

Des tapis de pervenche, de rubus, de fougères, de lierre cachent un arrosage intégré et tout un système d'extincteurs car, dans le Midi, il faut se protéger des incendies dévastateurs.

Après des mois passés dans un environnement industriel trépidant, entrer dans ce jardin doit être un enchantement : noyé d'une lumière toute méditerranéenne, il recrée un monde presque irréel où l'on peut puiser des forces nouvelles.

La Petite Rochelle

Dans la rue, rien ne laisse deviner ce qui se cache derrière ces murs. Une petite porte campagnarde ouvre sur une grange obscure et, bientôt, apparaît le jardin : on est émerveillé d'emblée par l'harmonie des couleurs. La maison et le jardin sont à l'unisson. Les volets sont bleus, le bleu des maisons du Perche, les fleurs sont bleues et roses avec une touche de blanc. « Un jardin d'aquarelle », a dit un visiteur. L'expression sonne juste : c'est un travail d'artiste. C'est la réalisation d'une vision ou d'un rêve de couleurs imaginaire qui a pris corps peu à peu, a grandi, avec force variations et modulations.

L'aventure commença en 1976, quand madame d'Andlau fit la découverte de cette petite surface du monde qui allait changer sa vie. Pour reprendre ses mots : « J'avais derrière moi une maison de paysan, longue, basse, grise et sans la moindre fantaisie végétale, et devant moi un terrain à l'abandon où les orties et quelques vieux lilas occupaient seuls l'espace, qui s'étirait entre un vieux mur d'un côté et une sorte de hangar de l'autre. Mais au bout de cette désolation visuelle, deux noyers très anciens formaient une voûte de leurs branches pointues, cadrant une pente lointaine. »

Dans ce premier jardin, madame d'Andlau choisit un thème de couleur et s'y tint. Puis, au gré des circonstances, le jardin s'agrandit. Dans le prolongement du premier, elle concentra ses efforts autour d'un bassin; au-delà, elle composa un jardin plus sauvage, plus champêtre. Profitant des murs d'un jardin clos, elle créa, en remontant vers la maison voisine, un jardin italien aux couleurs chaudes; puis elle s'attacha à planter le devant de la façade. Et tout récemment, madame d'Andlau dédia à sa petite-fille un autre ensemble dont elle lui fit cadeau à Noël : le « jardin de Solvène » sera bientôt un autre lieu de délices. Six jardins!

Revenons au premier qui est un chef-d'œuvre. On sent qu'il a été très travaillé, très pensé, à trois niveaux : dans sa structure, pour les couleurs, et afin d'assurer un spectacle permanent au fil des saisons puisqu'on peut l'admirer des fenêtres du salon. Les murs de la maison sont palissés de rosiers (« Clair Matin »,

À DROITE
Devant la maison aux volets bleus, des plantes de rocaille (Phlox subulata, Aethionema helianthemum, *lin et probablement un daphné* oneorum *à droite*) *s'harmonisent avec les plantes palissées contre les murs* : un Ceanothe impressus *et un rosier 'Neige Rose'.*

À GAUCHE
Jolie association d'un
Ceanothe papillosus et
d'une silène sauvage récoltée
dans le Midi.

CI-DESSUS
Une petite plate-bande
devant la maison met en
scène au printemps des
plantes de rocaille, des
tulipes et un Exacorda dont
la floraison immaculée
éclaire le thème bleu et rose.

À DROITE
Des ancolies sauvages se
mélangent à une azalée
mollis qui fut offerte à la
propriétaire : peut-être
'Berry Rose'.

« Charlotte Armstrong » et « Neige Rose ») et d'un céanothe *impressus* du même bleu que les volets. Au pied, sont installées des plantes basses et, dès les premiers beaux jours, apparaissent des tulipes qui se mêlent aux *Phlox subulata* et au feuillage argenté des lavandes. Dans les marches, se niche le délicieux *Erigeron mucronatus* blanc et rose qui se ressème d'année en année dans cet endroit abrité. Puis, madame d'Andlau a créé une murette afin de couper une trop longue perspective : de part et d'autre, elle a installé des daphnés qu'elle adore et toutes sortes d'hélianthèmes. Plus loin, une vaste plate-bande s'appuie contre un mur et descend, en un tracé souple, vers un *Prunus subhirtella* « Automnalis », puis vers les noyers. En face, une plate-bande dans les mêmes tonalités, mais plus étroite, répond à la première. Et l'on arrive à une haie qui ferme ce premier jardin. Voilà la structure qui a été adoptée.

Quant aux couleurs, elles sont ici subtiles et délicates. C'est un jardin de dame. Madame d'Andlau a commencé par le thème bleu et rose car c'est son préféré. Mais cela lui faisait exclure bon nombre de plantes à fleurs jaunes qu'elle aimait aussi. D'où la création du jardin italien où elle a rassemblé tous les tons chauds. Lorsqu'elle choisit un thème, madame

d'Andlau le développe totalement et utilise toute la gamme, des tons les plus sourds aux tonalités les plus aiguës, en petites touches. Elle trouve que le rose et le jaune jurent ensemble. Le rouge est dangereux. Le jaune et le rouge sont insupportables. Par contre les gris et les blancs sont essentiels, ils permettent des unions, des mariages et sont vraiment indispensables pour éviter les dissonances.

Prenons quelques exemples. Imaginez en mai une glycine mauve, une clématite *montana* « Tetrarose », un *Deutzia elegantissima* « Rosealind » avec ses adorables petites fleurs d'un rose assez soutenu, les énormes fleurs rose pâle d'une pivoine arbustive, des rhododendrons hybrides de yakushimanum rose clair, un *Cornus florida* « Cherokee Chief » rose, des iris bleus, des scilles campanulés bleu clair, de la monnaie-du-pape violette. Toutes ces plantes mélangées et toutes ces couleurs en camaïeu sont merveilleusement harmonieuses. Plus tard, d'autres plantes prendront le relais : des hydrangéas à tête ronde ou à fleurs plates du rose pâle au rose soutenu, des phlox par taches, du rose clair au violet en passant par le mauve, des anémones du Japon « September Charm », des *Campanules lactiflora* bleues et des *Thalictrum dipterocarpum* mauves créeront un tableau tout aussi réussi.

CI-DESSOUS
Devant la maison, au printemps, les plates-bandes se dorent d'une multitude de narcisses, seule concession faite au jaune dans cette partie du jardin. A l'extrême droite, un Prunus amanogawa offre sa silhouette longiligne et très verticale. De là, le regard embrasse le jardin dans toute sa longueur, et plus loin les collines du Perche.

À GAUCHE
Avant de franchir la grille en fer forgé du jardin italien, deux Magnolia stellata roses placés symétriquement étoilent les tilleuls rigoureusement taillés.

À GAUCHE, EN BAS
La perspective du jardin italien aboutit sur un Cornus controversa «Variegata» qui tranche avec la haie pourpre. Des plantes de rocaille, des arbustes nains et des lis prometteurs moutonnent les plates-bandes surélevées de part et d'autre de l'allée centrale. Des potées de Pittosporum tobira « Nana » rentrées en hiver accentuent la symétrie.

Et tout au long de l'année, les plantes sont au rendez-vous : l'hiver, le feuillage persistant des rhododendrons, des pieris, des daphnés assurent une présence. La seule entorse au thème choisi se fait au tout début du printemps : madame d'Andlau accueille les narcisses et un forsythia qu'elle associe à des magnolias blancs. On a trop envie de couleurs au sortir de l'hiver. Le jaune est ici une seule fois admis et il disparaît bien vite.

Dans le jardin italien, la structure est bien assise : la symétrie, la perspective et un tracé régulier lui donnent l'allure d'un jardin formel. Si le premier jardin est chanté en mineur, celui-ci est joué en majeur. Les couleurs sont éclatantes, du jaune le plus doux tout en étant très lumineux d'un rosier « Fruhlingsgold » aux tonalités les plus flamboyantes des héléniums « Moerheim Beauty ». Et entre les deux, les achillées jaunes « Coronation Gold », les lis orangés (*Lilium henryi*) et tout un échantillonnage d'hémérocalles se marient avec des conifères dorés et se détachent sur une haie pourpre de prunus qui sert de frontière au jardin.

C'est un jardin à plusieurs facettes. Bien sûr, la recherche des couleurs prédomine, mais on y sent aussi la passion des plantes et, à cet égard, madame d'Andlau doit à son oncle, le prince Wolkonsky, de lui avoir fait découvrir les meilleures pépinières de France et d'Angleterre. Et puis, Kerdalo l'a marquée par sa poésie. Elle y a beaucoup réfléchi. Elle a aussi beaucoup voyagé en Angleterre, en Belgique, en Hollande, au Pays de Galles, carnet en main. Car son jardin n'est pas statique, elle aime y introduire des nouveautés.

L'harmonie imaginaire du départ, encadrée par une structure affirmée, est devenue réalité. La Petite Rochelle est un mélange de romantisme et de rigueur. Madame d'Andlau vit avec son jardin. Elle lui offre toutes ses attentions et, en échange, il lui apporte sa beauté. Il lui a enseigné la patience et la persévérance. Elle sait qu'il est le reflet de sa personnalité. Parfois même, il la lui révèle et lui apprend à mieux se connaître, à mieux comprendre le sens de l'univers : « Qui peut suivre dans ce royaume secret les pensées d'un jardinier, et comprendre l'amour qu'il donne à son fragile empire ? Je sais qu'il en reçoit pourtant un signe d'éternité ».

Sardy

À GAUCHE
Une allée part de la maison et descend vers les prés en longeant les bassins. Elle est bordée de plates-bandes où se mélangent arbustes, plantes vivaces et bisannuelles : des digitales, des rosiers, des boules de santoline grise accompagnent la floraison blanche d'un philadelphus. En face, symphonie en bleu avec un Geranium platypetallum ou magnificum et des népétas réveillés par les hampes jaunes des Sysirinchium striatum.

À DROITE
Sur les murs des dépendances grimpent un chèvrefeuille et un rosier classique. Une glycine couvre aussi l'enduit à la couleur chaude, typique des maisons de Dordogne.

Un jardin romantique ? C'est un lieu de délices qui vous transporte et vous porte. C'est toute une atmosphère. Il y faut des parfums, des couleurs douces, on doit s'y sentir isolé du reste du monde. La nature s'y abandonne, la fragilité de l'éphémère y règne, le mystère et la mélancolie s'y devinent, la lumière y joue avec l'ombre, et la poésie s'y installe. L'eau doit y couler et le paysage s'y mirer. La brume peut y flotter et créer une impression d'apesanteur bienvenue.

Sardy, en Dordogne, près de Castillon-la-Bataille, réunit toutes ces qualités. Le jardin fut créé dans les années cinquante par monsieur et madame Imbs qui achetèrent cette propriété parce qu'ils l'imaginèrent d'emblée telle qu'elle est aujourd'hui. Frédéric Imbs, leur fils, raconte : « Mon père avait le sens de l'architecture, ma mère le sens des couleurs. Ils créèrent un jardin en duo. Conseillés par leur ami Louis Aublet, architecte, et par Jacques Desmartis, pépiniériste à Bergerac, ils transformèrent immédiatement le grand abreuvoir où venaient jadis boire vaches et chevaux. Car Sardy avait été une ferme. Ils eurent l'idée de le séparer en deux parties par un large pont. Près de la maison, ils le changèrent en piscine. Au-delà, il devint bassin. Ils conservèrent le sentier qui part de la maison et qui descend en serpentant

vers les prés et les peupliers. Et pour structurer le paysage, mon père eut l'idée d'insérer des cyprès dont les lignes verticales bien affirmées ordonnèrent l'espace. Il les taillait lui-même plusieurs fois par an, à l'aide d'une échelle qu'il installait sur une remorque. Cela lui valut plusieurs chutes mémorables. Ma mère était passionnée de jardins et de plantes. Elle avait vécu en Angleterre et avait été marquée par les jardins très élaborés entretenus par des dizaines de jardiniers. Elle s'inspira également de la campagne florentine et des jardins de Grenade. Sardy leur doit les cyprès et la mise en valeur de cette longue retenue d'eau domesti-quée où cohabitent toutes sortes de plantes. Si l'architecture fut très vite établie, l'harmonie des couleurs fut le résultat de tâtonnements divers. Car ma mère, qui avait fait l'expérience du jardinage dans un autre endroit près de Paris, améliorait sans cesse ses associations.

À GAUCHE
Près de la maison, la terrasse se termine par un balcon qui surplombe les bassins. Des valérianes roses (Centrenthus ruber), des lis hybrides se mélangent au Corydalis lutea envahissant.

CI-DESSUS
Près du bassin, un sentier descend rapidement vers une source et mène à une petite fontaine sous des arceaux qu'envahissent des rosiers grimpants. Les valérianes colonisent les marches et se détachent sur un fond de cyprès sombre.

Elle aimait beaucoup les plantes à feuillage gris, les fleurs simples, les tons pastel. Elle n'utilisait pas spécialement de plantes rares, mais avait sélectionné celles qui s'accommodaient du climat : il peut faire très chaud et très sec à Sardy en été. Jamais elle n'a dessiné de plan du jardin. Elle imaginait d'instinct, sur le terrain. Elle travaillait six heures par jour dans les plates-bandes, au milieu de ses plantes qu'elle chéris-sait. Elle leur parlait, comprenait leurs exi-gences, les encourageait. Si un problème surgis-sait dans sa vie, c'est parmi les plantes qu'elle le résolvait. Le jardin était pour elle un lieu où elle reprenait des forces. Lorsqu'elle pouvait faire la promenade avec un connaisseur, elle était très heureuse de pouvoir partager cette joie. Car ce jardin lui procura beaucoup de bonheur ».

À Sardy, il faut se placer en bas, et on pourrait passer des heures à contempler le tableau romantique qui englobe le bassin, la

Un chemin fait le tour de la maison, en contrebas du rocher. Mille et une plantes se ressèment à l'envi et apprécient la chaleur des pierres : parmi celles-ci, les valérianes et les érigérons mucronatus ont trouvé leur terrain d'élection.

Une perspective s'ouvre entre deux Juniperus media et permet d'embrasser toute la longueur du bassin où prospèrent des nénuphars et des arums. Au premier plan, les fleurs étoilées des érigérons mucronatus. Au fond, un chemin monte vers un belvédère abrité de grands arbres d'où l'on peut admirer l'ensemble du jardin surmonté de la grande bâtisse.

demeure et ce rocher abrupt où se nichent une multitude de plantes. Au printemps, les roses, les glycines, les chèvrefeuilles et les philadelphus embaument. En été, un *Clerodendron trichotonum* placé au pied de la bâtisse diffuse un parfum délicieux dont profite tout le jardin. Les couleurs pastel des fleurs, l'abondance de feuillages glauques ou gris (toutes sortes d'helichrysum, des santolines, des lavandes, des sauges, des *Phlomis fruticosa*, un magnifique olivier de Bohême) créent une atmosphère douce où l'on se sent bien. Sardy semble être loin de tout : le vignoble, un petit bois, des prés où paissent les chevaux et un grand verger noient ce jardin d'un demi-hectare dans la verdure et l'isolent du monde entier. Une glycine envahit la façade de la maison, un chèvrefeuille s'accroche au rocher, des valérianes colonisent des pierres et une multitude d'érigérons *mucronatus* se ressèment à l'envi entre les marches, entre les dalles. Cette abondance, cette profusion de plantes livrées à elles-mêmes donnent beaucoup de charme à l'endroit. Quand le soleil se couche derrière la statue de saint Joseph à l'opposé de la demeure, les rayons obliques apportent toute leur poésie. Le gargouillis d'une source qui se déverse dans le bassin, le clapotis du ruisseau qui descend

Un oiseau en if se perche sur une haie de pyracantha et se détache sur un fond argenté d'Eleagnus augustifolia. À droite, contre le mur, un figuier d'âge vénérable profite d'une situation très ensoleillée et offre des fruits à profusion.

Cette scène magique se situe en descendant le long de la grande allée, à droite, sur la photographie. Harmonie de couleurs douces noyées dans la brume d'un matin d'été. En bleu, au premier plan, des népétas. En rose, les petites boules d'un Phupsis stylosa répondent aux hampes des valérianes ; en jaune pâle, les clochettes des Sysirinchium striatum dont le feuillage lancéolé glauque s'harmonise avec l'argent des santolines. Toutes ces fleurs simples et charmantes font chanter les pierres anciennes patinées.

vers les prés animent cette scène. Le tableau se mire dans le bassin et donne une autre dimension au jardin. Le contraste entre l'aridité du rocher et la moiteur luisante de l'eau n'en est que plus beau. Et la brume de chaleur crée des traits d'union entre les couleurs et enveloppe en l'allégeant l'image entière.

Le jardin fut à son apogée au début des années quatre-vingt. À Sardy, les hivers 1985 et 1987 furent tragiquement dévastateurs : le froid eut raison des cyprès. Frédéric Imbs s'attache à redonner vie au jardin et continue dans le même esprit, soucieux de rester fidèle aux choix de sa mère qui était une grande jardinière.

Le Clos Normand

Voici un jardin qui a la seule prétention de vouloir être charmant : simplement, joliment, amoureusement. C'était au départ un verger typiquement normand, comme on en voit à Varengeville-sur-Mer, et l'on y récoltait, entre autres, des pommes à cidre. Quelques vaches aussi s'y nourrissaient. Et puis, un beau jour, on en eut assez de voir ces ruminants brouter les quelques rosiers qui ornaient l'ancienne grange. Il fallait choisir. On fit de cette petite bâtisse une maison de week-end : ces murs en torchis seraient recouverts de bois et, à gauche, cette parcelle de terrain serait fermée par une haie d'aubépines : on y ferait un petit jardin. C'était presque un impératif, une nécessité, un besoin vital car la créatrice de ce petit éden n'est, sans jardin, que la moitié d'elle-même : toute la famille l'avait bien compris. Ce jardin est en effet une affaire de famille. Sa belle-mère lui alloua donc une parcelle, puis deux, puis trois. Son mari se prit au jeu et se passionna pour les roses et les clématites. Et tous deux, en duo, au jour le jour, sans y consacrer beaucoup d'argent, composèrent ce jardin qui relève de l'art de la miniature. Tout est pensé dans le détail car on peut admirer chaque plante, chaque fleur de près comme sur une peinture délicate et fine ornée d'enluminures. Derrière ces fioritures se cache une somme de travail inestimable, un travail à deux, sans l'aide de quiconque.

Le style de la maison dicta celui du jardin : on y créerait un « cottage garden ». Et puisque l'endroit s'était agrandi progressivement, on ferait de chaque parcelle une pièce de verdure intime délimitée par des haies. De nombreux voyages en Angleterre confortèrent nos deux jardiniers dans cette idée : les structures de Sissinghurst, d'Hidcote ou de Cranborne sont si séduisantes ! Quant aux plantations, elles seraient un doux mélange de roses, de lianes et de plantes vivaces. À cet égard, le jardin de roses de Mottisfont Abbey eut une influence décisive.

La maison se prolonge par un petit boudoir à ciel ouvert : un coin repos au milieu des fleurs. Les murs de la maison sont palissés de délicates lianes fleuries : un *Solanum crispum* mauve, un autre blanc, dispersent leurs clo-

À GAUCHE
Dans la première pièce de verdure, les plantations sont ordonnées par deux allées en croix dont une est rythmée de buis taillés en boule. Le centre de ce jardin miniature est ponctué par une pierre ancienne. Les rosiers arbustifs créent des volumes colorés dans les plates-bandes : à gauche, « Rose Gaujard », à droite, « Chianti ». Des rosiers grimpants tombent en guirlande des arbres fruitiers : au fond à droite, « Albéric Barbier » envahit un pommier. Ou bien ils ornent des arceaux sous lesquels on passe pour rejoindre une autre partie du jardin : au fond, au centre, « Sander's White » unit deux murs d'ifs taillés. Partout, des plantes vivaces ou des bisannuelles qui se ressèment toutes seules accompagnent les roses : à droite, quelques annuelles peu exigeantes (des nigelles bleues) colonisent un pied de scabieuses. Des géraniums vivaces, des valérianes et des digitales complètent le tableau.

À DROITE
Une pergola fait le tour du premier jardin et sert de support romantique à des lianes fleuries : à gauche, « Wedding Day » dégringole du cerisier; sur la pergola, de gauche à droite, se succèdent « Cecile Brunner » avec ses adorables petites fleurs d'un rose pâle, « Mme Grégoire Staechlin » d'un rose plus soutenu; en jaune apparaît « Elegans ». En bas, des rosiers arbustifs (de gauche à droite : « Royal Highness » rose pâle, « Charles Austin » orangé, « Clair Matin » sous « Elegans ») se mélangent à des digitales et à des lis regale.

chettes autour d'un rosier grimpant abricot clair « Gloire de Dijon ». « C'est mon préféré », dit la maîtresse des lieux, et devant chaque rose elle tombe en extase, s'émeut et lance « C'est ma préférée » ! Au pied, une touffe de *Romneya coulteri* installé depuis longtemps ne fait que croître et embellir. Un ami a conseillé de s'en méfier car lorsqu'il se plaît, il est si vigoureux que ses rejets pourraient soulever les tommettes du salon et envahir la maison. Trois rosiers « Nevada » encadrent cette pièce à ciel ouvert et, dans leur feuillage, grimpe une clématite *flamula purpurea* « Rubra marginata ». D'énormes potées d'agapanthes (*Agapanthus campanulatum* « Isis ») très prometteuses sont placées de part et d'autre d'un banc et, au-dessus, un pommier « John Dawny » offre ses pommes d'api dont on fait une gelée délicieuse.

Puis on entre dans le premier petit jardin clos de haies. Tout autour se déploie une pergola : chaque pilier de chêne est enlacé d'un rosier et d'une ou deux clématites. Ces clématites ont, pour la plupart, été choisies pour leurs petites fleurs, car elles sont plus faciles à cultiver et parce qu'elles sont davantage proportionnées à la taille du jardin. Parmi les rosiers, « Céline Forestier », « Apple Blossom » ou « Clair Matin » se marient à des clématites

À GAUCHE
Voici une rose ancienne parmi celles qui enchantent le premier jardin : il s'agit de Rosa officinalis *« Versicolor » ou* R. mundi, *aux fleurs roses panachées de blanc.*

À DROITE
La promenade continue sous la pergola et c'est un enchantement. Les clématites enlacent les roses et l'allée herbeuse se festonne de plantes vivaces légères et pointillistes : à gauche, la clématite « Rouge Cardinal »; à gauche, tout en haut, le rosier blanc « Herbert Stevens »; encore plus haut et plus au centre, « Sombreuil »; au fond, « Clair Matin »; en bas, le nepeta bleu accompagne des digitales blanches.

PAGES SUIVANTES, À GAUCHE
On entre dans le jardin par un petit portillon campagnard après avoir traversé le verger. Et on passe sous une guirlande de roses blanches qui auréole l'entrée. Là, le rosier « Seagull » épouse les courbes d'un arceau. À gauche, le rosier jaune « Claire Jacquier » se mélange à « City of York » et à une clématite mauve « E. F. Young ». À droite, on aperçoit les grandes fleurs immaculées de la clématite « Mme Lecoultre », appelée aussi « Marie Boisselot ».

PAGES SUIVANTES, À DROITE
Cette allée transversale met en scène des rosiers (à gauche, le rosier blanc « Antie Tynwald » et, plus loin, on retrouve « Chianti »; à droite, « Blairi N 2; et dessous, « Royal Highness ») et des plantes vivaces : à gauche, le feuillage lancéolé de Dierama Pulcherrinum; *plus loin à droite, une plante vivace peu courante :* Crepis incana *rose pâle. On reconnaît au fond les boules de buis et la pergola où s'épanche le rosier grimpant « Allister Stella Gray », jaune pâle.*

viticella, à la clématite « Little Nell » rose pâle ou à une clématite *eriostemon* à petites fleurs d'un joli bleu céleste. Au pied de la pergola et le long d'une allée engazonnée, sont dispersées des plantes vivaces qui dans ce contexte sont bien mises en valeur : un nepeta bleu, des géraniums vivaces dont le merveilleux *Geranium armenum* d'un rose soutenu éclatant et, à la fin du printemps, des digitales bisannuelles; toutes ces fleurs créent un décor enchanteur.

À l'intérieur de ce jardin, deux allées engazonnées forment une croix. En son centre, une pierre ancienne crée un point focal, et la croix est rythmée de boules de buis qui dessinent une structure permanente, rigide, sombre, statique et massive, contrastant en tous points avec les plantes environnantes joliment colorées, floues, souples et impressionnistes. Les carrés sont plantés de rosiers arbustifs (rosiers anciens, rosiers modernes et rosiers anglais de David Austin), d'arbustes (*Buddleia* « Lochinch », philadelphus, potentilles, pivoines), de plantes vivaces (asters, phlox, *Viola cornuta,* sauges, œillets, campanules *persicifolia*, campanules *lactiflora*, valérianes blanches, *Ruta graveolens*, artémises, iris) et des bulbes parmi lesquels les *Lilium regale* et les *Alium aflatunense* et *giganteum* vont à ravir. Les haies qui entourent le jardin laissent apparaître des cimes d'arbres fruitiers envahis de rosiers sarmenteux : certains sont trop prospères et mettent en péril les pommiers qui, bientôt étouffés, ne donneront plus de fruits. Mais les fleurs ou les fruits ? Quel dilemme !

Puis on passe dans le second jardin par une porte romantique à souhait : c'est un passage dans une haie d'ifs, surmonté d'un arceau métallique qui a complètement disparu sous la floraison d'un rosier grimpant très généreux, « Sander's White », aux petites fleurs blanches doubles qui se mêlent à la clématite rose « Comtesse de Bouchaud », très facile de culture, à conseiller aux débutants. On y retrouve le même style de plantation avec une

association qui mérite d'être notée : une clématite *viticella* blanche à petites fleurs se mêle à la floraison bleu céleste d'un *Ceanothe* « Gloire de Versailles ».

On est attiré dans le troisième jardin grâce à une perspective qui conduit à un *Pyrus salicifolia* « Pendula » argenté très bien utilisé. Puisqu'on s'éloigne de la maison, le jardin devient plus sauvage et la tonalité des plantes change : des hydrangéas, des acers, des rosiers églantiers prennent le pas sur les plantes sophistiquées.

Clos de haies d'aubépines, ou d'ifs, protégé des vents de mer, le Clos Normand avec ses guirlandes de roses et ses plantes d'autrefois est très romantique : « J'achète souvent les plantes lorsqu'elles sont en fleur, et ensuite je réfléchis longtemps avant de les placer dans le jardin pour les associer agréablement avec d'autres dans des conditions où elles seront heureuses. J'ai reçu également beaucoup de cadeaux et fait des échanges avec des amis », explique Madame. La grande phrase ici est la suivante : « Il n'y a plus de place », continue Monsieur. » Vous savez, il y a toujours de

la place pour ce qu'on aime », interrompt Madame. C'est pourquoi il a fallu tirer parti de toutes les situations, et trouver des supports pour les roses : les rosiers et les clématites s'épanchant même parfois ici sur les haies. Alors, comment les tailler ? On les démêle, on prend les branches une par une, on les détache, on les couche par terre. Puis on taille la haie, et l'on remet rosier et clématite à leur place. Quelle patience et quel courage !

« Parfois nous travaillons jusqu'à onze heures du soir dans le jardin. Maintenant nous habitons davantage ici. Mais avant, nous n'y venions que le week-end et, le vendredi soir, quand nous retrouvions nos plantes dans la nuit, nous allions voir avec une torche si elles n'avaient pas souffert de notre absence. À Varengeville, Dieu merci, l'eau du ciel est suffisamment généreuse pour qu'il ne soit pas nécessaire d'arroser souvent », continuent-ils.

C'est un jardin aimé, choyé, un jardin heureux, un lieu plein de charme. C'est là qu'on aimerait vivre. La visite vous enchante et vous laisse dans l'esprit des images ravissantes. Une fois parti, on y est encore...

Jas Créma

« À Jas Créma, mon éléphant est mort deux fois de mort naturelle, raconte la baronne de Waldner. Je me suis copiée. » Car à Paris, au centre d'un jardin qui est l'un des joyaux verdoyants de la capitale, madame de Waldner a également installé un éléphant. Il existe un style baronne de Waldner, fait de nobles fantaisies. Réminiscences de voyages lointains, souvenirs de famille, tous ces coups de foudre qui jalonnent une vie, on les retrouve à Jas Créma. Ils personnalisent le jardin, concrétisent des rêves, créent un univers inédit en harmonie avec l'âme de son créateur.

Le jardin de Jas Créma va avoir dix ans. Situé au cœur d'une propriété de neuf hectares, plantée de vignes, d'oliviers, de mûriers et de cyprès, il s'ouvre devant l'ancienne bastide, avec en arrière-plan le château du Barroux. Le site est somptueux. Toutefois, le climat de Haute-Provence est rude et il n'est pas l'allié du jardinier. En été, le soleil brûle et la chaleur est implacable. Il ne pleut jamais, ou si rarement. Le vent souffle et siffle, il arrache tout. Il peut faire très froid en hiver. Les rigueurs de 1985-1986 ont eu raison des romarins, de certains pittosporums, des lauriers-roses, de quelques rosiers et des cordymines. Mais madame de Waldner ne se décourage pas : elle replante les mêmes variétés.

Quand madame de Waldner a pris possession des lieux, après de laborieuses tractations, elle a tout de suite vu ce qu'il fallait faire. La bastide du XVIIIᵉ siècle fut restaurée. L'allée de mûriers par laquelle on y accédait fut supprimée. D'emblée, madame de Waldner sentit que le jardin devrait prendre la forme d'un carré.

Mais il fallait de l'eau et une bonne terre pour réussir. Un sourcier finit par découvrir une source. Par ailleurs, près du Barroux, une ferme était expropriée. Madame de Waldner réussit à en acheter la terre végétale qui fut raclée et transportée à Jas Créma. Il était désormais possible de faire un jardin. Les plantes arrivèrent par camions entiers. Certaines vinrent directement d'Angleterre.

La baronne de Waldner, qui vécut en Écosse jusqu'à son mariage, a toujours eu le goût des fleurs, des roses, des bouquets et des

À GAUCHE
En cette fin d'après-midi, le soleil est passé derrière la maison : les rayons obliques font ressortir le relief de la structure et la douceur des fleurs. Devant la grande bâtisse provençale, sur un muret, le rosier « Cécile Brunner » a trouvé son terrain d'élection. Dans le jardin de fleurs à dominantes de blanc, de gris et de rose, des pittosporums moutonnent au pied des buis taillés en forme de vases.

À DROITE
Au printemps, au pied des vieux mûriers rajeunis par une taille appropriée, la baronne de Waldner a créé un tableau d'iris inspiré de Van Gogh.

beaux jardins. Elle imagina Jas Créma en rose, bleu-mauve et blanc. Ces tonalités sont douces et belles au soleil. Elles siéent au ciel provençal et s'harmonisent avec les couleurs traditionnelles des bastides.

En arrivant, un chemin de terre longe les vignes. De part et d'autre du grand portail, deux têtes de cheval se font face : sur une armature de fer forgé, grimpe un rosier de Banks. La bastide apparaît rose et bleu pâle. En la contournant par la droite, on est attiré par une grande vague bleue d'iris qui dégringole en contrebas. C'est délibérément du Van Gogh, plus vrai que nature.

Au pied de la bastide, sur la façade qui fait face au château du Barroux, madame de Waldner a reconstruit une terrasse avec des dalles anciennes achetées chez un démolisseur. Sur les murs grimpent des rosiers dont le fameux « New Dawn », une clématite *montana*, une treille et une vigne ornementale (*Vitis quinquefolia*). Deux cordylines ébouriffées donnent du relief et du mouvement aux murs. Des lauriers montés sur tige sont cultivés dans des pots en *terra cotta*.

Un premier mur croule sous le rosier « Cécile Brunner », très florifère. Par un petit portillon en fer forgé, on entre dans le premier jardin au tracé régulier. Des allées rectilignes

séparent des plates-bandes surmontées d'une sculpture végétale en forme de vase. Des pittosporums taillés structurent l'espace et se mêlent à des œillets mignardises, des lauriers blancs, des agapanthes blanches et des rosiers. Sur des petits arceaux au ras du sol court le rosier miniature « Nozomi ».

Puis on franchit un second mur qui disparaît sous le rosier « Mermaid », planté en abondance. Et l'on entre dans un champ de lavandes qui embaument, étoilé d'allées bordées de romarins taillés. En son centre, un éléphant de buis. Un rosier de Banks épouse son armature. Il fleurit au printemps, et se mêle à une clématite *balearica* qui, elle, fleurit en hiver. En janvier, l'éléphant est blanc. Il a déjà succombé deux fois car le buis n'aime pas Jas Créma.

En remontant, on découvre la piscine. Des dômes de *Pittosporum tobira* « Nana » sont installés entre les dalles et des têtes de cheval rythment le pourtour. Elles sont aussi garnies de rosier de Banks et tout récemment, madame de Waldner y a ajouté des socles de jasmin *nudiflorum*. En janvier, la base est jaune.

En longeant la bastide, tout au bout, on entre dans un jardin clos où neuf carrés bordés de buis renferment des plantes aromatiques. Là, madame de Waldner a aussi rassemblé une collection étonnante de géraniums odorants cultivés en pots.

Jas Créma est un lieu de délices. Tout y est d'un raffinement extrême. Çà et là, des fantaisies signées Waldner pimentent la simplicité des fleurs. Les rudesses du climat s'y oublient. Il semble que l'on vive dans un univers de douceur, dans un décor enchanteur de rêves ornementaux.

À GAUCHE
Devant la bâtisse, la baronne de Waldner a agrandi la terrasse et l'a dallée de pierres anciennes. Des chaises, une table, une volière, des plantes en pots créent un décor charmant. De là, on domine le jardin et la vue s'ouvre sur Le Barroux.

CI-DESSUS, À GAUCHE
L'armature de l'éléphant et celles des têtes de chevaux tout autour de la piscine sont recouvertes de cet adorable rosier à petites fleurs doubles d'un jaune doux : Rosa banksiae «lutea plena». Les rigueurs du climat l'ont déjà endommagé plusieurs fois, mais madame de Waldner ne s'est pas découragée : elle l'a remplacé par la même variété.

CI-DESSUS
On le retrouve sur les arceaux qui enjolivent le champ de lavande et donnent l'illusion d'un terrain de croquet. Au centre, les allées convergent vers le fameux éléphant qui, en hiver, se pare des clochettes crémeuses de la clématite balearica. Au-delà des cyprès et plus en hauteur, il faut imaginer Le Barroux.

Groussay

Charles de Beistegui était un illusionniste. Il avait le goût du théâtre et de la fête. C'était un personnage baroque et fastueux, un grand voyageur doué d'une mémoire étonnante, riche d'une culture artistique sans frontières. Il concrétisa à Groussay ses rêves et ses chimères en érigeant des fabriques évocatrices de pays et de temps lointains. Avec hardiesse. Car il juxtaposa des constructions hétéroclites et anachroniques tout en créant un décor cohérent. Il assouvit ici un besoin d'évasion poussé à l'extrême.

Groussay avait appartenu à la duchesse de Charost qui avait créé, en 1815, autour de la grande maison, un parc à l'anglaise. Charles de Beistegui acheta cette propriété de trente hectares en 1938 et construisit les fabriques entre 1958 et 1969.

Comme à Stowe ou au Désert de Retz il y avait eu une pyramide égyptienne, des obélisques et une maison chinoise, il y aurait à Groussay une pyramide, une tente turque et un pont palladien. Charles de Beistegui avait le goût du spectacle : il créa à l'intérieur du

À DROITE
La pyramide prend une autre dimension en se mirant dans l'eau. Ce temple voit son origine contestée. Il doit moins au style français néo-classique de Ledoux qu'aux nombreux croquis d'Emilio Terry, à l'exception peut-être du fronton dont les colonnes de cylindres et de cubes sont typiques des tracés de l'architecte français.

CI-DESSOUS
Cette partie du jardin a été créée récemment par le propriétaire actuel. On a recherché le mélange des styles dans ce damier de pelouse à l'anglaise et de galets à l'italienne entouré de charmilles et de platanes taillés à la française.

château un théâtre, il en inventa un autre à ciel ouvert qui serait le parc. Son projet de départ était construit. Aidé par son ami l'architecte Emilio Terry, il fit réaliser un plan de la propriété, élaborer des maquettes et peindre des aquarelles par Alexandre Serebriakoff. L'illusion prit corps.

L'actuel propriétaire, son neveu, Juan de Beistegui, a récemment remis le parc en état. La graphiose ayant décimé les ormes, il replanta hêtres, châtaigniers, platanes et cyprès chauves. Et là où autrefois s'étendait l'ancien potager, il créa un jardin de fleurs. La promenade commence ici. Le jardin jouxte le château. Juan de Beistegui l'a voulu bleu, gris, vert et blanc. Pour cette réalisation, il s'est fait aider par le paysagiste anglais Ian Mylls. Ils ont choisi un tracé rectiligne et repris la structure de l'ancien potager. Trois jardins se succèdent : des plates-bandes herbacées, un jardin de roses et un potager ornemental où se mêlent fleurs et légumes. Au-delà, c'est le parc.

Des bosquets et des frondaisons vont surgir les fabriques, qui font presque toutes référence au passé. Mais Charles de Beistegui les interpréta et les agrémenta selon sa fantaisie.

Des charmilles en arcade conduisent à une volière. Puis apparaît la tente tartare, bleue et blanche, précédée au premier plan d'un parterre de buis orné de vingt potiches chinoises peintes en trompe l'œil. Quelles furent ici les sources d'inspiration du créateur ? Très certainement Drottingholm, le Versailles suédois, et le pavillon de Porcelaine à Trianon, car à l'intérieur, les toits, les murs et le sol sont doublés de carreaux bleus et blancs qui copient des modèles anciens de Delft.

Le labyrinthe a disparu. Mais au bout d'un tunnel de charmilles, on aperçoit un pavillon de brique et de pierre.

Un théâtre de verdure met ensuite en scène les statues de Colombine et d'Arlequin.

Puis on descend vers une rivière enjambée par le pont palladien. Charles de Beistegui avait aimé celui de lord Pembroke, à Wilton. Il était droit. Or, celui qu'il avait l'habitude de contempler des fenêtres du palais Labia, à Venise, était en dos d'âne. Le pont de Groussay serait donc à la fois palladien et vénitien.

CI-DESSOUS

Un plan d'élaboration bien précis était mis en œuvre pour la création de chacune des folies. Cela commençait par une idée du propriétaire, illustrée d'une aquarelle de son ami Alexandre Serebriakoff. L'aquarelle était ensuite communiquée à Emilio Terry qui en dressait les dessins d'architecte. La tente turque, tout en fer peint, fut inspirée par celle de Drottningholm, en Suède, qui, beaucoup plus grande, servait de logement aux pages.

À GAUCHE

Ce pierrot de pierre est l'une des statues qui ornent le théâtre de verdure, réplique en plus petit de celui de la Villa Marlia, à Lucca, en Toscane. La version italienne est en ifs, celle-ci a été réalisée en charmilles.

À DROITE

Le désir de vivre en sa propre Arcadie inspira Charles de Beistegui tout au long de ses travaux. Il s'inspira des grands jardins anglais, du Désert de Retz, du parc Monceau et des jardins des villas italiennes. Des charmilles diversement conçues, tantôt en murs droits, tantôt en tunnels, conduisent les pas vers des motifs que l'on devine de loin et dont on découvre les détails en s'approchant.

PAGES SUIVANTES

Le pont qui enjambe le lac est une pure merveille. Pour lui trouver la place idéale, on en fit faire une peinture grandeur nature que l'on transporta en différents points pour voir où il s'intégrerait le mieux. C'est un mélange de styles, avec une arche basse, empruntée à celle des ponts de Venise et des colonnades de style palladien dont on peut voir quelques exemples en Angleterre.

L'édification de la pyramide nécessita toute une mise en scène. Charles de Beistegui voulait que son image se reflète du matin au soir dans l'eau d'un lac. Il existait un étang à Groussay, au levant. On en créa un autre, au couchant. La terre d'excavation servit à élever une colline sur laquelle on érigerait un temple. La pyramide est très belle. Elle s'intègre parfaitement aux lieux et son image inversée dans l'eau lui apporte le mystère.

Après force méandres dans le parc, on arrive à la pagode chinoise. Ici, le maître des lieux s'offrit le luxe d'apprivoiser la Chine. En fait, il faut contempler cette folie du château. Car de là, il semble qu'elle flotte sur l'eau et que rien ne la relie à la terre ferme. Par quel artifice? Groussay possédait une rivière champêtre. Charles de Beistegui en fit élargir un méandre pour obtenir l'effet voulu. Il transforma une petite presqu'île : elle servirait de socle à la pagode. On y accède par une passerelle discrète, invisible du château. La pagode est en bois peint et imite l'acajou et l'érable. Il semble qu'elle compte huit portes-fenêtres. Mais il n'en est rien car une ouverture sur deux est en trompe l'œil. Sous le ciel de l'Île-de-France, le

CI-DESSUS
Charles de Beistegui fixa ses souvenirs de voyage en bâtissant dans le parc un grand nombre de folies, dont la pagode chinoise. Vue du château, elle semble flotter sur l'eau. Elle est en fait construite sur une petite île reliée à la terre ferme.

À DROITE
Le jardin, par opposition au parc qui contient les folies, occupe l'emplacement de l'ancien potager. Il est l'œuvre de Juan de Beistegui, neveu héritier, qui s'est entouré d'une gamme de végétaux dont les couleurs dominantes ne s'éloignent pas des verts, des gris, des roses et des bleus.

caractère très asiatique de la pagode offre l'illusion du dépaysement. La promenade s'achève sur la colonne que l'on aperçoit dans le lointain : elle est entourée d'un escalier en spirale et d'une rampe en fer forgé et sert de belvédère.

Tous les jours, à onze heures, avant le déjeuner, comme en un rituel, Charles de Beistegui faisait le tour des fabriques. Après les fêtes grandioses qu'il avait données dans le passé, il s'en accordait ici une nouvelle : il contemplait la mise en scène de ses rêves parmi ces édifices dépaysants, peuplés des daims, des flamants roses et des autruches qui complétaient le décor. Entre les gazons vallonnés, les eaux sinueuses, les bosquets savamment organisés et les chambres de verdure. Avec des images anglaises, italiennes, françaises, suédoises et chinoises.

INDEX

Les numéros de pages en italique sont ceux des légendes des illustrations.

REMERCIEMENTS DES AUTEURS

Marie-Françoise Valéry remercie très sincèrement tous les
propriétaires pour lui avoir généreusement ouvert les portes
de leur jardin. Et les paysagistes, pour lui avoir relaté leur
démarche créative. Et les gardiens et les jardiniers de ces lieux
enchantés. Bien sûr aussi toute l'équipe des Éditions Frances
Lincoln avec qui travailler fut un réel plaisir.

And Last But Not Least

Georges Lévêque pour lui avoir livré les fruits d'une récolte
dont il sema les graines au fil des années.

« Pendant vingt années, j'ai photographié des jardins, surtout
en France et en Grande-Bretagne, pour mon plaisir et aussi
pour mon activité de reporter-photographe de la presse
spécialisée de jardin. Ces dix dernières années, c'est *Mon
Jardin & Ma Maison* qui a publié mes meilleures œuvres.
La sélection des jardins présentés dans ce livre s'emploie à
couvrir tous les styles de jardins contemporains existant en
France. Certains jardins n'existent plus dans l'état où nous les
montrons aujourd'hui, par le fait de vente ou tout simplement
du décès des propriétaires-jardiniers.
Je remercie Frances Lincoln, elle-même, de m'avoir persuadé
et mis sur rails pour réaliser ce livre sur les jardins français. Je
remercie aussi l'ensemble du staff F. Lincoln pour son
amabilité, son sérieux, en un mot son franc professionnalisme.
Et bien sûr, et aussi, Marie-Françoise Valéry qui a su traduire
en mots les émotions qui furent les miennes lors des
découvertes de ces lieux magiques. »

Georges Lévêque

240